A PEDRA

YURI PIRES   LOTE 42

Copyright © 2023 by LOTE 42 para a presente edição.
Copyright © YURI PIRES

Todos os direitos reservados. Nenhuma parte desta edição pode ser utilizada ou reproduzida nem apropriada ou estocada em sistema de banco de dados sem a expressa autorização da editora.

Texto fixado conforme as regras do Novo Acordo Ortográfico da Língua Portuguesa (Decreto Legislativo nº 54, de 1995).

Edição geral JOÃO VARELLA, CECILIA ARBOLAVE e THIAGO BLUMENTHAL
Projeto gráfico GUSTAVO PIQUEIRA | CASA REX
Preparação TARCILA LUCENA | PALIMPSESTOS_SERVIÇOS EDITORIAIS
Revisão ISABELA SANCHES

1ª edição, 2017
1ª reimpressão, 2023

Dados Internacionais de Catalogação na Publicação (CIP)

Odilio Hilario Moreira Junior CRB-8/9949

P667P Pires, Yuri

A Pedra / Yuri Pires. - São Paulo : Lote 42, 2017. 136 p. ; 14cm x 21cm.

ISBN: 978-85-66740-26-4

1. Literatura brasileira. 2. Romance. I. Título.

2017-235   CDD 869.89923
                   CDU 821.134.3(81)-31

Índice para catálogo sistemático
1. Literatura brasileira : Romance 869.89923
2. Literatura brasileira : Romance 821.134.3(81)-31

"A PEDRA" É O LIVRO Nº 23 DA LOTE 42.

Rua Barão de Tatuí, 302, sala 42
São Paulo, SP 01226-030
lote42.com.br

FSC
www.fsc.org
MISTO
Papel produzido a partir de fontes responsáveis
FSC® C114026

A **SILVIO MONTEIRO PIRES** (in memoriam), um gigante que me ensinou a dar passos pequenos.

"Nunca me esquecerei desse acontecimento
na vida de minhas retinas tão fatigadas
nunca me esquecerei que no meio do caminho
tinha uma pedra"
CARLOS DRUMMOND DE ANDRADE

"No sertão a pedra não sabe lecionar,
e se lecionasse, não ensinaria nada;
lá não se aprende a pedra; lá a pedra,
uma pedra de nascença, entranha a alma."
JOÃO CABRAL DE MELO NETO

"Aprender a ser terra
e, mais que terra, pedra"
ORIDES FONTELA

TINHA TUDO DE UM DIA COMUM, mas não era. O sítio do Lajedo amanheceu debaixo de neblina, mansamente pousando, naquela sonolência característica da mata catingueira de antes de o sol estalar. Ambrósio beijou a mãe, que coava o café. Mastigou um pão, deu de garra em uma lata meio amassada e rumou para o riacho, assobiando como um curió. Imitar o canto dos passarinhos era um hábito tão seu que sua avó vivia dizendo: *esse menino é doido pra vender o bico, é uma propaganda só*. Bituca fazia firula a seus pés, querendo agradar o dono. O riacho não era mais que um filete d'água quando passava atrás da casa do Lajedo, mas Ambrósio construiu uma pequena ponte de pedras para atravessá-lo em direção ao curral. Quem era doido de botar os pés naquela água gelada àquela hora do dia? Capaz de pegar uma friagem. Por isso as pedras enfileiradas. Por menos barulho que fizesse, nem bem se aproximava da porteira, já ouvia os chocalhos batendo. Elas pressentiam. Um mugido grave e longo anunciava a chegada de Ambrósio.

— Galeguim da barba rala, uma porra! — Pensava.
— Queria ver aqueles bosta aqui, tirando leite de Juliana. Tudo criado na moleza da cidade, por isso que a barba cresce lá e neles.

Acarinhou a leiteira, hábito adquirido da mãe, que sempre dizia que o homem deve tratar os bichos melhor do que as pessoas tratam umas às outras.

— Bicho é gente sem maldade — ela dizia.
— Sem maldade também não, né, mãe? Juliana esses dias quase que mata Gecinha, não pegou porque vó viu e partiu pra cima dela.
— Issé do instinto dela — disse a mãe —, coisa de animal, tu é muito novo pra entender.

No tempo de ele ir ao curral e voltar com o leite, bem dizer, num pé e noutro, elas já tinham colocado o café na mesa, lavado as panelas, dado banho em Gecinha e pegado uma galinha que ia para o sacrifício pelo almoço. Mais ligeiro só Bituca, que, nem bem Marta virava as costas, já tinha roubado o pão da mão de Gecinha.

— Eita, Bituca safado, meu Deus. Leva esse peste pra fora, Zito! — Era Marta falando e Gecinha abrindo o berreiro.

— Talvez se mãe não tivesse dito nada, ela nem percebia a falta do pão.

De café tomado e camisa da escola estadual, Ambrósio se preparava para sair.

— Bença, vó, bença, mãe.

— Deus te abençoe, meu filho.

— Deus te crie para o bem — disse a avó.

Aí eram vinte minutos de sol torando, queimando a cabeça.

— Sarará, uma porra, se aqueles misera pegassem sol na moleira todo dia, queria ver se não ficava tudo pixaim também — esbravejava sozinho. Na escola, Ambrósio tinha sempre sido motivo de apelidos. Ele atribuía essa implicância ao fato de ser um dos poucos moradores da zona rural entre os colegas. Zito era um desses moradores de sítio que frequentavam a escola, talvez por isso logo tenha feito amizade com Felipe, gente de sua mesma condição.

A estrada de terra se interrompia na altura do grotão, justamente onde começavam as casas da cidade e o asfalto da rua que não tinha nem nome, tamanha a sua desimportância. Naquele dia, com tudo de normal, sem ser, um engarrafamento começava bem ali, a uns trinta metros do grotão.

— Oxente, e agora Lemuri deu pra cidade grande, foi? Engarrafamento? Vôte!

— Tá falando só, sarará?

— Sarará teu boga... — disse baixinho.

— Qué que tá dizendo aí, cabra?

— Nada não, seu Chico.

— Ah, bom, pensei que tinha dito.

— E o que havera de dizer do senhor? Pode me chamar do que quiser, né o dono do mundo?

— Deixe de ser atrevido, moleque ruim — disse o velho.
— Mas o senhor sabe dizer que folia é essa de engarrafamento em Lemuri? — Desconversou Ambrósio.
— Sou fuxiqueiro não... quiser saber, assunte com outro.

Seu Chico do grotão tinha um gênio muito forte. Pudera, para domar aquela terra braba do grotão, só alguém de pulso. De pulso só não, tinha que ter queixo, meter os peitos, desafiar a terra seca. Ele ligava? Nem por isso. Ninguém nunca o vira queixoso ou lamuriento.

Biu Lapada era o contrário. Todo dia, quem por ali passasse — como acontecia com Ambrósio naquele dia —, dava de cara com Biu, parado defronte de sua venda, braços cruzados na altura do peito, bico estirado e os olhos do mesmo jeito.

— Biu, que diabéisso aí embaixo?
— Invenção desse povo besta! Tu não sabe comé o povo daqui? Só quer um pezinho!
— E que pezinho foi esse, que causou até engarrafamento?
— E eu lá fui ver? E eu não tenho o que fazer não, menino besta?
— Eita, Biu, também é uma delicadeza... — Queixou-se Ambrósio.
— Quer delicadeza, vá em Filó, a venda aqui é pra quem quer comprar; quiser informação, vá na prefeitura!

Bem que Ambrósio queria ir à casa de Filó, mas e coragem? Uma vez, saindo da cidade em direção à casa de seu amigo Felipe, tinha passado por perto e tirado uma graça com uma das meninas. Só escutou a voz, lá de dentro, gritando:

— Carminda, deixe o menino ir! Não tá vendo que é o sarará de Mocinha? É menino ainda. Mocinha merece menino dela em cabaré não!

Sarará era o cacete, pensava Ambrósio. Pois essa mesma menina de Filó era uma das primeiras da multidão que ele avistou à frente dos carros parados. Voltada para o centro da praça, a multidão burburinhava. Ambrósio foi furando fila, abrindo caminho, deu bom dia a Carminda, acotovelou-se com Furiba, bêbado local, e logo chegou ao centro da Praça Voluntários da Pátria.

No centro da praça, pousada no jardim de grama que o prefeito cultivava ali, uma enorme pedra preta reluzente. Lisa, não havia nenhum acidente no seu quase metro e meio de altura por metro e tanto de largura. Ninguém chegava muito perto. Estavam excitados, mas cheios de medo. Quem arriscasse uns passos em direção à pedra via-se refletido na superfície.

Ambrósio mirou seu nariz enorme, do tamanho de uma batata doce graúda, embaixo de uns olhinhos miúdos, sem branco, tudo preto. O cabelo espichado feito cabelo de milho, duas orelhas pequenas e redondas, e uns dentes menores que a cabeça dos dedos dele. Tocou-se, tentando identificar se aquela monstruosidade era, de fato, o seu rosto. Era sim, e as mãos mastodônticas eram dele também.

— Eita, pedra mentirosa da gota! Eu não sou feio desse jeito não!

— Oxe, tu tás bonito — disse Felipe —, olha pra minha desgraça.
Ambrósio não via diferença em Felipe. Feio igual sempre fora. Ele é que estava transfigurado, parecendo a besta-fera. Todo mundo se espantava com a própria feiura espelhada na pedra, mas via a feiura dos outros na mesma de sempre.
— Já sei. Chama Carminda ali, Zito, se ela ficar feia, aí essa pedra é mentirosa mesmo...
Não foi preciso. Do lado oposto ao deles via-se Carminda, de olhos arregalados, chamando pelo nome de uma santa. Os amigos deram a volta na pedra, não sem protesto do povo ao redor, para ver Carminda.
— Pia, Zito, ela tá a mesminha! Mesmo biquinho de pata, os olhinho de esmeralda. Mesma lindeza de sempre.
Carminda, como se não escutasse os comentários de Felipe, nem as reclamações das distintas senhoras no seu entorno, embasbacava-se com a bagaceira que era o seu reflexo no espelho negro. Aquilo era obra do cão, não restavam dúvidas para ela.
Não demorou muito para chegarem os fiscais da prefeitura. Aos berros, iam expulsando as pessoas da praça, mandando os motoristas recolherem os carros, ordenando que as pessoas circulassem. Abriam caminho para o secretário do prefeito, homenzinho atarracado, meio ameninado nas feições, de paletó no último botão naquele calor de esturricar.
— Pronto! Era só o que faltava aparecer por aqui. Capitão, tire esse trambolho do meio da praça, bora!
Capitão, com uma presteza afetada, dirigiu-se para

a pedra empurrando quem estivesse no caminho. A largura da pedra o impedia de pegá-la sozinho. Chamou um soldado. Botaram força e nada, Capitão disse *no três e puxa*, e nada, vieram os cinco soldados e a pedra nem se mexia, nenhum milimetrozinho. Trouxeram uma alavanca e um ponto de apoio e não moveram nem a pedra. O esforço, quanto mais se fazia, mais atraía gente curiosa para a praça; trouxeram um jegue forte e robusto, amarraram uma corda na pedra, a outra ponta no pescoço do jegue, e botaram o bicho para fazer força. Nada do jegue dar vencimento. Até que se cansou e começou a pastar. Não havia o menor sinal de meximento da pedra, nenhuma plantinha, nenhum pedacinho de grama, nada saiu do lugar, por maior esforço que se fizesse.

— Ambrósio, bora pra escola, issaí vai demorar e a gente já tá lascado de falta — disse Felipe.

— Oxente, e quem é aquela ali conversando com a doutora Diana? Num é a diretora? Atrás dela num tão os professor tudinho? Apois, a cidade todinha tá aqui, zé goiaba.

Essa afirmação era imprecisa. Por pouco, é verdade, pois só a sensatez ficou longe da praça naquele dia.

Juca Calisto, editor da *Folha do Povo*, tomava nota e entrevistava o chefe da guarda. Mônica, fotógrafa do periódico, tirava fotos da multidão e de pessoas ilustres em particular, destacadas na plateia da pedra. Não demorou muito para o prefeito chegar. Todo empaletozado como estava, não se fez de rogado e mandou um discurso de bate-pronto.

— Cidadãos, filhos de Lemuri, voltem a seus afazeres. Essa pedra não tava aqui hoje pela manhã, não estará à noite, porque o projeto da praça Voluntários da Pátria prevê a construção de um monumento aos heróis neste mesmíssimo lugar. — Em Lemuri, qualquer aglomeração era motivo de discurso ou de discussão.

— Essa praça tá pronta faz seis anos, prefeito! Quando seu irmão mandou construir, disse que já tinha encomendado a estátua de um artista renomado da capital — disse Pedro Meia Garrafa.

— Nossa administração não pode ser responsabilizada pelas promessas do gestor passado. Minha gestão pegou uma herança maldita, uma mar de dívidas, município quebrado, você devia saber!

— Mas, prefeito, era seu irmão! — Argumentou Pedro.

— E Abel, por algum acaso, pode ser responsabilizado pelos malfeitos de Caim? — Retrucou o prefeito.

— Mas, homem, foi seu principal cabo eleitoral, faleceu no meio da campanha, sensibilizou o povo pra votar em você — disse Pedro —, e mais: que estátua da peste é essa que demora anos pra ficar pronta?

— Vejam o nível da oposição, senhoras e senhores, quando percebe que não pode com os argumentos da situação, ataca a família, insinua coisas sobre os mortos que não estão aqui pra se defender — disse o prefeito empostado. — Aliás, não se apressa a arte! Você pretende censurar o artista? Hã? Vejam, senhoras e senhores, o que temos aqui é um déspota, dê poder a um homem e o conheça de verdade!

Aí o bate-boca descambou para o ininteligível, como sempre acontece nessas condições. As palavras que se distinguiam entre os gritos não eram nada distintas. O povo se dividia. Metade torcia por um ou para o outro, a outra metade açulava e ria.

— Eita, eu num deixava não, ó! — Dizia um.

— E vai ficar por isso mesmo, é? O outro prefeito nera mole desse jeito não! — Dizia outro.

A gritaria aumentava e eram palmas e eram vaias, e nem por dois segundos era silêncio.

O prefeito deu ordem: *evacuar a praça!* E lá ia a guarda espalhando o povo para fora da Voluntários, como quem tange gado. Na praça, ficaram dra. Diana e um professor novo da faculdade municipal. Conversavam baixinho, mediam a pedra com a mão, à distância, descrevendo arcos e elipses no ar, projetando a pedra em outro lugar. Enquanto Ambrósio e Felipe se dirigiam à escola, as demais pessoas rumavam a seus afazeres cotidianos.

MAIS RÁPIDO QUE LIGEIRO o dia transcorrera. Por todos os lados só se falava na pedra e nas suas derivações: a confusão do prefeito com Pedro Meia Garrafa, os estudos que, certamente, dra. Diana mandaria fazer na capital, a matéria que Juca Calisto escreveria para a *Folha do Povo*.

— Eu não vi graça nessa pedra besta — disse Biu Lapada.

— Oxente, Biu, né pra ver graça mesmo não, resta saber quem colocou lá... e por que motivo — respondeu Pedro Meia Garrafa.

— Pra quê? Curiosidade mais besta! Pronto, agora tem uma pedra preta no meio da praça, finge que é o monumento prometido pelo prefeito e acabou-se!

— Aí é que tá, Biu, pra mim issé coisa daquele corno das gaia mole! Se não for, eu cegue!

— Pode ser, pode ser... — Disse Biu, desconfiado.
Pedro Meia Garrafa era candidato a prefeito desde a emancipação de Lemuri. Desde que tinha se tornado cidade, o lugar conhecera quatro eleições municipais e, sem exceção, Pedro perdera todas. Primeiro perdeu duas vezes para o pai do atual prefeito, depois para o irmão, finalmente para o atual prefeito. O argumento que lhe derrotava era sempre o mesmo: não era prudente deixar a cidade sob os cuidados de um alcoólatra. Seus tremeliques, particularmente seu renitente piscar do olho esquerdo, adquiridos pela influência do vício em seu organismo, ficavam marcados na memória de quem o conhecesse.

— Essa prefeitura só iria funcionar pela manhã — dissera Mané do Doce, líder do governo na Câmara dos Vereadores —, se Meia Garrafa vencer um dia! Não dá três da tarde e o pobre já tá caindo de bêbo.

Não era completamente verdade. Bêbado mesmo, para valer, ele só ficava após as seis da tarde. Dali em diante, realmente, não dava para contar com ele para muita coisa.

Entretanto, Juca Calisto, que era simpático a Meia Garrafa, discordava dessa avaliação. O que derrotava Pedro Meia Garrafa, eleição após eleição, era sua mania idiota de sinceridade. Essa particularidade era tão forte na personalidade de Meia Garrafa que, no meio de um discurso importante da campanha da última eleição, jogou um balde d'água fria no seu próprio eleitorado.

— E, na minha gestão, não haverá essa corrupção atual que rói os cofres públicos! — Discursara na ocasião. — Vamos dar um basta nisso, vamos moralizar a prefeitura!

— Aí vai sobrar dinheiro pra financiar os agricultores. Viva Pedro! — Gritara um eleitor empolgado.

— Não exatamente — dissera Pedro —, na verdade, a estimativa é que a corrupção desvia muito menos do que o suficiente para o financiamento da agricultura local.

Toda a audiência do discurso, atônita, sem saber se aplaudia ou se vaiava, olhava para o púlpito esperando mais.

— E tem mais! As casas que ainda não têm escritura, a prefeitura vai agilizar tudo!

— Dá-lhe, Pedro! — Berrava um companheiro de copo. — Finalmente o povo vai pagar menos imposto.

— Não exatamente — dissera Pedro —, tecnicamente vai pagar um pouco mais com a regularização. Se o município enjeitar o IPTU, não tem dinheiro mais pra nada.

A essa altura a praça já estava vazia e as bandeiras e faixas com o nome e o número de Pedro Meia Garrafa jaziam no chão. Apenas uma meia dúzia de gatos pingados espreitava o candidato, à espera de um alento, uma palavra de conforto, por serem seus seguidores mais fiéis.

— Mas, com Pedro, a vida vai melhorar, com certeza! — Afirmou o locutor do comício.

— Na verdade, não — desmentiu Pedro —, até piorará um pouco, pois sou oposição ao governador e ao presidente e, certamente, eles cortarão o envio de recurso pro município... mas lutaremos juntos contra tudo e contra todos!

Aos poucos a praça esvaziara, murchando como a expectativa de voto de Pedro Meia Garrafa. Naquela mesma noite, Juca Calisto o advertira.

— Pedro, compadre, desse jeito tu não ganha nunca!

— Eu não sei ser de outro jeito, Juca, tu sabe disso.

— Rapaz, te acostuma, o que a gente aprendeu na faculdade, lá na capital, não se aplica ao mundo. O povo não gosta de verdade não, povo gosta é de esperança.

— Mas os tempos são sombrios...

— E daí? Aí que o povo quer esperança! Você devia fazer como o prefeito. Sim, não me olhe com essa cara, aprenda com o inimigo: tudo tem que ser culpa do prefeito, ele é capaz de resolver tudo e não resolve porque é incompetente e ladrão!

— Também não é tudo isso, tem coisa que ele não pode resolver.

— E daí, homem? Diga que pode e é sua palavra contra a dele, ninguém vai atrás de saber de nada não.

Muitas outras vezes, Juca Calisto tentou convencer Pedro. Sem sucesso. Nos últimos tempos, o próprio Juca tinha começado a aparecer mais nas sessões da Câmara, fazendo discursos contra o prefeito, e o que se dizia é que ele tinha cansado da leseira de Pedro Meia Garrafa e decidido ser a oposição ele mesmo.

Dava para perceber isso lendo a *Folha do Povo*. A cada dia os ataques eram mais virulentos. Tamanha era a repercussão do jornal, que esgotava na banca antes do meio-dia. Juca tinha, então, passado a fazer uma edição menor, mais concisa, de uma página apenas, para distribuir à noite. No dia do advento da pedra, nem bem o povo voltava para casa, já a *Folha* estava circulando de mão em mão.

Prefeito coloca pedra preta na praça era a manchete. *Iniciativa faz parte de uma campanha para perpetuar-se no poder, diz oposição* era o subtítulo.

O debate comeu no centro. Só se falava disso. Não havia dúvidas, os indícios eram claros, desde que o município se emancipara, apenas os Cavalcanti tinham estado na Prefeitura, a Câmara dos Vereadores levava o nome do pioneiro do clã, Manoel Cavalcanti; o palácio da prefeitura, um prédio enorme com três andares, levava o nome do primeiro prefeito, neto de Manoel Cavalcanti, Roberto Cavalcanti, pai do atual prefeito; a única escola de Lemuri levava o nome do ex-prefeito Ricardo Cavalcanti, irmão do atual.

Uma dinastia, dizia Pedro Meia Garrafa; uma ditadura, dizia Juca Calisto.

Passado o grotão, Ambrósio era o elo entre os moradores da zona rural e a cidade. Recolhia uns quantos exemplares da *Folha* noturna e saía distribuindo nas caixas de correio das casas. Naquela noite não houve necessidade, pois todos já estavam por dentro dos acontecimentos, e a maioria, durante o dia, tinha escapulido do roçado para ver a pedra.

A sensação ultrapassava o grotão. Até a tradicional festa de São João, realizada no pequeno sítio dos Almeidas — família tradicionalmente pobre da vizinhança —, de festa dos Almeidas foi rebatizada a festa da pedra. Um rebatismo em tempo recorde.

Ambrósio não era muito de assuntar. Apesar das perguntas daqueles que queriam saber informações sobre a pedra, desviou-se rapidamente até o Lajedo. Jantou com a família e, enquanto a mãe contava causos para Gecinha dormir, juntou-se a sua avó, na varanda, para escutar histórias, enquanto pitavam um cigarro. Esse era um hábito do qual ele não abria mão, nem se cansava.

— **MEU FILHO,** já lhe contei sobre Zé Onça, que pelejou com coronel Manoel Cavalcanti? Pois escute: Zé Onça era o cangaceiro mais temido dessa região e não ficava devendo nada aos cangaceiro mais famoso. A ruindade dele era conhecida daqui até a beira do cais, e dizem que ele já tinha feito um ataque a um quartel na capital. Pois bem, numa tarde de janeiro, lá pelos anos da construção da barragem de São Serapião do Vale Verde, quente que só a mulesta, começou a se espalhar a notícia de que Zé Onça tava na região. Era assim que ele chegava. Primeiro a notícia, depois ele, depois o rastro. Pois nesse tempo eu era moça lá em Santa Cruz do Riachão e nada sabia disso, só no que pensava era no namoro escondido que tinha com teu avô e na fuga que a gente tava planejando. Pai tinha dinheiro, era dos Cavalcantis, primo de Manoel Cavalcanti, foi da parte dele que tu puxou esse cabelo loiro. Ele não queria o casamento da filha mais nova dele com um nego da terra, muito menos com um nego da terra que era comunista. Comunista mesmo, de carteirinha e tudo mais. Eu não tinha tino pra entender dessas coisas, mas achava era bonita as bestage que ele dizia sobre o mundo, o sonho que tinha de conhecer a Rússia, a revolta dele contra os coronéis, inclusive contra o primo de meu pai e, por tabela, contra meu pai também. O problema era que, naquela época, um comunista era mais raro que uma Kelvinator branca, e teu avô já tava ficando conhecido na região, e corria a notícia de que Manoel Cavalcanti tinha feito um pacto com a polícia pra prender ele. Tinha botado capanga atrás dele, dado vantagem pra quem pegasse, botado prêmio na cabeça do pobre. Pensa que ele ficava com medo? Nada. Teu avô era brabo que só. Se escondeu, vinha me visitar na calada da noite, pelo meio da mata, se livrando dos espinho no meio do mundo. Pois bem, nessa época, numa das noites que eu esperava teu avô por detrás da casa de meu pai, eu vi. Só uma lamparina acesa pra uns quarenta cabras, de onde eu tava dava pra ver direitinho os rifle, os parabelo, tudo em alerta. Era o bando de Zé Onça, e eu torcendo pra teu avô faltar ao encontro. Já pensou se eles trombam com ele pelo meio do caminho? Oxe, dava certo não. Teu avô tava lascado. Apois teu avô não veio. Não porque tivesse faltado de propósito, num sabe? Alguma coisa aconteceu, tenho certeza. Eu voltei pra casa alvoroçada, nem podia contar que tinha visto o bando de Zé Onça no sítio de meu pai, senão iam saber que eu tava na mata no meio da noite. Que desculpa eu ia dar? No meu tempo, meu filho, moça direita não saía da casa do pai depois de escurecer não. Então, aí eu voltei pela janela do meu quarto, me cobri dos pés à cabeça e fiquei lá, encolhida, respirando toda resfolegada. E quedê dormir? Amanheceu e eu não consegui dormir, pelando de medo. Aí foi que a notícia chegou: Zé Onça tinha entrado em Santa Cruz do Riachão e se apossado da prefeitura e do hospital. Parece que tinha um cabra dele doente e ele obrigou o médico a tratar do infeliz. Até aí, nada diferente das história que a gente já tinha ouvido, até porque Zé Onça era coisa que dava e passava, vinha, voltava e vinha de novo, e nessa peleja ficava até desparecer quando a volante se aquartelava na cidade. Mas e Mané Cavalcanti queria deixar por isso mesmo? Queria nada. Santa Cruz tinha dono, não era terra de ninguém não. Mandou chamar meu pai, meus tios, queria juntar os capanga de cada um e expulsar o cangaceiro dali. Aí fizero o conselho, decidiro que iam chegar no hospital de surpresa e tocaiar Zé Onça matando tudo quanto era de capanga. Ia ser uma matança pra ser lembrada por séculos, ninguém devia se meter a besta nas terra dos Cavalcantis. Deus sabe que eu pedi a meu pai prele não se meter nessa matança, porque podia morrer gente inocente, mas ele ligou? Ligou nada. Disse que era assim mesmo, que se livrasse o povo, que se esperasse para evacuar o hospital, Zé Onça percebia a tocaia e fugia. Eu sei que foi bala. Foi bala pra não dever a guerra nenhuma, nem daqui nem do estrangeiro. Zé Onça nera besta não, tinha botado um cangaceiro de olho na estrada. Aí quando cercaro o hospital, Zé Onça já tava preparado e deu o primeiro ataque: só nas primeira bala já matou uns dez capangas de Mané Cavalcanti. Todo mundo da cidade corria pro meio do mato. Eu não sabia nada disso, vivia no sítio de meu pai, soube muito tempo depois. Mas fiquei nervosa. Fiquei tão nervosa que botei pra vomitar e caí de cama enjoada. Minha mãe, quando viu, não teve dúvida, porque mulher experiente sabe dessas coisa pelo cheiro: eu tava era prenha. Eita, que minha mãe ficou nervosa, disse que meu pai ia me matar, ia caçar o cabra que tinha me feito o mal. Mas eu disse quem tinha sido? Não teve quem fizesse. Por mais que minha mãe perguntasse, dissesse que se fosse um homem de família a gente podia casar antes deu botar menino, quisso podia me salvar e salvar a criança, mas eu sabia que não era assim. Não era, porque teu avô era nego da terra e comunista. Ia morrer ele, eu e a criança. A criança era tua mãe, e se eu não tivesse feito o que fiz, tu não tava aqui pra ouvir essa história. Mas o cerco a Zé Onça já durava três dias e de lá meu pai não voltava nem mandava notícia. A gente sabia pelos caminhantes da estrada. Diziam que o cerco tava difícil, que Zé Onça se defendia bem, que o armazém de Chico ficava bem atrás do hospital e os cangaceiros conseguiram pegar foi coisa lá, e que a luta ia demorar muito. Vixe, nesse meio tempo eu melhorei, mas minha mãe sabia que nada passava despercebido de meu pai naquele sítio.

Alguém ia contar pra ele, e ele, que não era abestalhado nesses assuntos de mulher, ia logo desconfiar e, com um pouco de esforço, descobria que era menino e que era com teu avô. Eu não queria nem pensar nisso. Mas pensava. Hora após hora, minuto após minuto. Foi quando tua bisa teve a ideia: ia me mandar pra casa da irmã dela, em Lemuri. Lemuri, naquela época, era distrito de Santa Cruz e só tinha uns sitiozinhos. A casa da irmã dela, minha tia Augusta, era essa mesminha casa em que moramos agora. Como ela não podia ter menino, me adotou como filha e obrigou o marido a me aceitar prenha. Contaro pra todo mundo daqui que eu era viúva, que meu marido tinha morrido na briga com Zé Onça. Eu era mesmo que uma empregada pra eles, mas eu já tava muito satisfeita de não tá morta. A única coisa que me doía era não ter conseguido deixar nenhum recado pra teu avô, cuja cara nunca mais vi na vida.

DEIXAR A CAMA NÃO ERA PROBLEMA PARA AMBRÓSIO. Depois de cumprir com todas as suas obrigações, ele ainda tinha energia para brincar um pouco com Gecinha antes de sair para a escola. Naquele dia, antes de chegar ao grotão, bem dizer na curva da ponte quebrada, avistou Felipe, de fardamento escolar, jogando pedra no rio.

— Ei, touceira, vamo pra escola hoje não?

— Vamo não... e vamo fazer o quê?

— Rapaz, o de sempre: vamo fazer nada lá no riacho, detrás da casa velha.

— Agora.

O caminho, dali até aquela parte do riacho, era deserto e dificilmente alguém os veria matando aula. A casa velha, abandonada em um lugar privilegiado, à frente do riacho em seu ponto mais cheio, perto da estrada de saída para a cidade, era uma boa casa, grande, com ampla varanda, armazém de fundos. Estava abandonada apenas pela maldição que a acompanhava desde a sua construção. Por coincidência ou não, as quatro famílias que ali moraram perderam seus primogênitos em mortes trágicas e prematuras. As histórias se repetiam: em uma noite de calor em que o primogênito estava acamado por alguma doença quente, a rasga-mortalha, pousada no telhado, gritava sua canção de mau agouro e, na manhã seguinte, o corpo jazia na cama vazia.

— Ei, tenho uma ideia melhor.

— O quê?

— Tenho duas arapuca lá em casa, passamo lá pra pegar e acabamo o dia com dois passarinhos, um pra cada um, qué que acha?

— Já te disse que num gosto de passarinho em gaiola — respondeu Ambrósio.

— Agora pronto! Toda vez essa bestagem?

— Prender quem pode voar é crueldade demais!

Sem ânimo para maiores discussões, Felipe partiu com o amigo. Prostraram-se atrás de uma pedra grande, defronte da casa velha, para espiar a passagem das rolinhas do riacho para as árvores do terreiro, quando escutaram umas risadas substantivas para as bandas do areal. Com medo de serem pegos, arrodearam a casa pelo lado do matagal, onde a caatinga esconderia os dois. Tão logo chegaram atrás de um toco grande, bem no canto esquerdo da casa abandonada, tiveram a visão de toda a orla leste do riacho.

Três mulheres banhavam-se na água enquanto outra, estendida numa canga espalhada no areal, tomava sol. Reconheceram as meninas de Filó instantaneamente. Carminda, fora d'água, nua em pelo, refletia a luz do sol em sua pelagem dourada. O aprincesamento daquela matuta era suficiente para alumbrar até o mais experiente dos homens.

— Eita, primo, pia quem tá ali, se num é Carminda...
— Hum, tô vendo, qué que tem?
— Oxe, vô bater uma bronha é agora! — Anunciou Felipe.
— Pode guardar essa minhoca desminliguida pra dentro, seu miséra!
— Oxente, e deu pra guardar honra de puta agora, foi?
— Tô guardando honra de ninguém não, só não quero seus pantim perto de mim.

A discussão alertou as meninas. Sem que eles percebessem, elas saíram do riacho e Carminda se aproximava da mata onde eles estavam brigando. Ao vê-la, Ambrósio congelou. Felipe ganhou o mundo com os pés batendo na polpa da bunda.

Os olhos verdes de Carminda eram mais vibrantes de perto. Os cabelos molhados escorriam pelos seus ombros, perdiam-se em suas saboneteiras, cobriam os seios pontiagudos. Encararam-se por alguns segundos calados, até que ela quebrou o silêncio.

— Que é que tu mais teu amigo tavam procurando aqui?
— Nada não, Carminda, foi por acaso, eu juro — desculpou-se Ambrósio, sem saber onde colocar as mãos.

— Tu pensa que eu não conheço menino, né? — Perguntou Carminda, afastando os cabelos e descobrindo o seio esquerdo. — Tu quer botar a mão? Ambrósio esticou o braço. Com a palma da mão esquerda sentiu o bico do peito dela, quente, consistente, como uma taça de leite morno. Os olhos grudados nos de Carminda, o coração dela, ao contrário do dele, impassível, imperturbável. Ele sentia o sangue correndo nas veias, inundando seu corpo, queimando as extremidades. Queria explodir.

— Tu já beijou mulher, menino?

— Já, claro! — Mentiu Ambrósio.

Carminda riu e deu um passo para frente. De olhos arregalados, Ambrósio sentia um tremor se espalhando das pernas para a barriga e subindo. Não deu tempo de fechar os olhos, sentiu os lábios quentes de Carminda nos seus. Não foi um beijo muito demorado, mas a Ambrósio pareceu um longo tempo em que todo seu corpo zunia.

Com uma risada debochada, Carminda se afastou para junto das outras. Não sem antes voltar-se de olho malino para ele. Enquanto elas iam embora, Ambrósio, embasbacado, via Felipe se aproximar rindo.

— Tu beijou uma puta, Zito? Tu endoidou foi?

— Se tu contar isso pra alguém, eu te mato, fi duma égua!

— Oxente, e nera isso que tu queria? O tempo todo atrás dela, tocaiando, querendo assuntar. A bicha é puta, mas a bicha é boa, Zito. Ela gostou de tu, dá uma com ela e pronto! O que os cabra da cidade paga pra comer, tu vai comer de graça.

Essa frase martelou na cabeça de Ambrósio por um tempo.

Do riacho, foi direto para o restaurante de Paulo, onde trabalhava como garçom para completar a renda da família. Só o que se falava era da pedra, em todo canto havia opiniões sobre a aparência dela e o motivo de sua aparição na praça da cidade. A Folha do Povo daquele dia saiu com um encarte especial sobre ela. No editorial afirmava: a *pedra é uma invenção do prefeito Gumercindo Cavalcanti. Sua intenção ainda se faz misteriosa, entretanto, para aqueles cujos ouvidos são mais atentos, já se diz por aí que a pedra é só o começo da campanha para a reeleição. O objetivo seria claro: criar um grande evento que pudesse ser ligado a seu nome por mil anos.*

O prefeito não deixou por menos. No programa de rádio de Beto Gastão, cuja audiência batia recordes seguidamente, deu uma entrevista exclusiva e explosiva. Beto era conhecido pela sua simpatia por Gumercindo.

A oposição acha que esse povo é burro, mas o povo de Lemuri não é. Só porque os dois líderes da oposição estudaram na capital, acham que o povo daqui não sabe fazer cálculo e apontar culpados. Tá claro pra quem quiser ver que essa pedra foi parar lá por obra da oposição. Pedro Meia Garrafa, aquele bêbado, mais seu Juca Calisto colocaram a pedra no meio da praça para, premeditadamente, colocar a culpa em mim. Por que eu colocaria essa peste dessa pedra na praça, quando, todo mundo sabe, o monumento aos Voluntários da Pátria já tá encomendado a um grande artista plástico da capital? É óbvia essa armação. Agora, no final das contas, sabe o que vai acontecer? Eu já mandei vir da capital um trator de tração e um guindaste. Quero ver aquela danada daquela pedra num sair de lá!

As opiniões se dividiam. Uma parte do povo estava com o prefeito, não havia dúvidas, e, no entanto, havia uma grande parte das pessoas apoiando veementemente os opositores Pedro Meia Garrafa e Juca Calisto. Aliás, Pedro ia ficando cada vez mais fora do jogo, pois Juca acreditava que enquanto ele fosse a imagem da oposição, não seriam levados a sério.

Não havia cliente que, chegando ao restaurante, não fosse logo falando sobre a pedra, sobre o posicionamento do prefeito, da oposição ou sobre um pessoal que se ajuntava em torno da pedra para adorá-la.

— Mas adorar, adorar? Feito se faz com Deus? — Perguntou Paulo.

— Eu num tô dizendo, rapaz? Tudo vestido de branco, rezando o padre nosso em torno da pedra — afirmou o cliente.

— Pronto, era só o que faltava pra Lemuri... pense num povo herege! — Disse Paulo, que era sacristão da igreja matriz da cidade.

Não demorou muito para chegar a troca de turno dos garçons. Ambrósio não ficava para o turno da noite, pois precisava estar em casa cedo, visto que era o único homem da casa e, em casa desguarnecida de homem, dizia, até pinto se afoita.

Ao passar pela praça avistou os fiéis da nova seita. Vestiam-se de branco, de fato, com camisões que iam quase até o chão, em tudo aparentados com camisola de mulher. No centro do torso, o camisão estampava um círculo negro simbolizando a pedra. De mãos dadas, balançavam-se ao som da toada que eles próprios cantavam em louvação da pedra.

Muitos curiosos se aproximavam para ver a cerimônia pagã.

— Irmãos e irmãs — conclamava um jovem de barba fechada —, todos nós, que temos olhos e ouvidos atentos aos desígnios do Senhor, sabemos do que se trata essa Pedra, não sabemos? A Pedra é um sinal dos tempos que se aproximam! Deus está mandando um sinal pra gente, dizendo: *olhe, vocês tem que se endireitar enquanto é tempo! O juízo final tá chegando!*

Às palavras do sacerdote, a multidão respondia com urros de aleluia e vivas de amém.

— E sabe do que mais? Lemuri foi escolhida porque é aqui, neste cantinho esquecido do mundo, que Deus inaugurará a nova comunidade dos escolhidos, e para ser um escolhido é preciso escolher. Deixem tudo pra trás, abracem o chamado de Deus! Deus é a Pedra e a Pedra é Deus!

Ambrósio saía rindo do encontro com os adoradores da Pedra. Ia caminhando sem pressa, pela estrada do grotão, pensando nas mudanças que a Pedra trazia para Lemuri.

— Eita, pensei que num vinha pelo caminho hoje — disse uma voz feminina.

Ambrósio parou assustado. Não se via pé de pessoa por ali à noite.

— Quem vem de lá? É de paz?

— Deixe de besteira, cabra frouxo, num tá me vendo

não? — A voz era de Carminda, num vestido turquesa, vestida para o trabalho. — Queria conversar contigo...
— Apois num já tá conversando? Prossiga — apressou-se a dizer.
— Olhe, Filó disse pra num chegar perto de tu, eu sei bem disso, mas eu gostei demais daquele beijo de hoje — disse Carminda.
O coração de Ambrósio acelerou e subiu. Bem dizer tinha saído do peito e estava pela garganta.
— Eu também... — Foi a única coisa que conseguiu dizer.
— Amanhã não trabalho, é dia de descansar as partes — adiantou —, tu não quer me encontrar no areal não?
— Oxente, quem num quer?
— Pois então tá marcado, visse?
— Belezal...
Carminda saiu rindo, correndo por dentro da mata do grotão que, se cortada pelas bandas, ia dar no quintal do cabaré de Filó.
— Belezal? — Ambrósio disse em voz alta. — Que bicho abestalhado da porra! — E ficou rindo sozinho.
Quando chegou a casa, viu Felipe parado na cancela, montado no seu cavalinho magricela.
— Ei... Zito, sou eu!
— Diz, Felipe, tás querendo o quê?
— Vai ter uma reunião lá na casa de Arnaldo — disse o amigo.
— E qué que eu tenho com isso?
— Mandaro te chamar, cabra ignorante!
— Não posso deixar minha mãe e minha vó sozinhas.

— Acaba antes das nove, rapaz, uma vezinha não vai matar não...

— Perainda... — Ambrósio disse enquanto se afastava rumo a sua casa. Quando voltou, trazia na mão uma marmita e um casaco.

— Mãe disse preu num demorar, mas deixou eu vir.

A reunião na casa de Arnaldo realmente não foi demorada. Os últimos a chegar foram eles dois. Arnaldo, professor de matemática das séries fundamentais da escola, passou meia hora falando sobre a Pedra e a sua significação.

— A Pedra faz parte de uma conspiração internacional de maçons filipinos! — Ao sentir aprovação dos demais, continuou. — Esses esotéricos duma figa negam todo o avanço científico e tão preparando o mundo para mergulhar numa nova idade das trevas, só que, desta vez, pela via da esquisitice e não do cristianismo!

Os presentes balançavam a cabeça como fossem lagartixas.

— Mas como é que tu sabe dissaí, Nado? — Perguntou um dos participantes.

— Não é óbvio pra vocês? — Ao perceber que nem todos disseram sim, enfatizou. — Pois explico. Já venho observando essa conspiração há muito tempo, muito mesmo. Eles tão infiltrado em tudo quanto é lugar: no governo, no exército, na imprensa, vixe, na imprensa é só o que tem! E é no mundo todo, né só aqui em Lemuri não...

— E como a gente pode saber que é eles? — Perguntou Ambrósio.

— Simples, seu símbolo é a Pedra. O primeiro dessa linhagem foi Pedro, discípulo de Cristo. O que Cristo disse pra ele? *Pedro, tu és pedra.* Pensa que parou por aí? Toda a economia do mundo se sustenta até hoje graças ao mercado de pedras preciosas, diamantes, rubis, esmeraldas, ouro e prata, que nada mais são do que pedra que brilha, enfim, castelos foram construídos com pedra, as estradas são construídas com brita e asfalto, ou seja, pedra e pedra.

— Você tá querendo dizer que...

— Exatamente, compadre Beto, o único lugar em que essa danada dessa pedra ainda não dominava tudo era aqui em Lemuri! O atraso daqui não deixou! Apesar da pedra estar presente nas estradas, nas casas da cidade, na escola, na prefeitura, a terra, o chão original do mundo, ainda é a maior parte de Lemuri, dos sítios, que são o coração de Lemuri!

— Então o objetivo dessa conspiração é cobrir o mundo todinho de pedra? — Ambrósio perguntou.

— Exatamente, Zito! Quando não restar monte, fazenda, terreiro, areal, nem nada, só o que existirá é pedra, e a pedra é a insensibilidade do mundo!

Eita, pensou Ambrósio, o areal não podia virar em pedra. Era lá que Carminda se banhava e o mundo amolecia.

O discurso alarmista de Arnaldo fazia certo sucesso entre os participantes da reunião. À exceção de uns dois ou três desconfiados, como Ambrósio, os outros cinco ou seis estavam de acordo: tratava-se de uma conspiração mundial e Lemuri seria epicentro da virada fundamental que tornaria o mundo pedra.

— **E ENRICOU, FOI?** — A voz da sua mãe, irritada, não era escutada há muito.

— Eita, mãe, dormi demais, desculpe...

— Vem timbora tomar teu café! Já tirei o leite...

Poucas vezes Ambrósio tinha se atrasado para suas obrigações matutinas. Não se lembrava de quando tinha acontecido da última vez, mas ficou encabulado como sempre. Ele se sentou à beira de sua cama, entre desperto e sonolento, e percebeu que a cal descascava na parede. Isso tinha escapado de sua percepção nos últimos dias ou era o descascamento ação daquela madrugada? Naquela manhã, tomou o seu café com pão sob o olhar desconfiado de Mocinha. Mesmo que ele se servisse com os olhos fixos na comida, sentia o olhar da vó preso ao seu cocuruto como se adivinhasse seus pensamentos. Menos paciente, sua mãe queria saber, antes de adivinhar.

— Então, acordou tarde, tá calado, que foi que houve?

— Nada não, mãe, acordei meio indisposto, só isso — desconversou ele.

— Sei, eu sei bem o nome disso.

Toda aquela desconfiança o fizera comer rápido. Tão ligeiro quanto engoliu, vestiu-se e saiu a caminho da escola.

Ao chegar à praça, percebeu que a Pedra estava coberta por um grande pano branco estendido em uma armação de metal. Ao redor dessa estrutura que cobria a Pedra, estavam dra. Diana e sua equipe de estudos. Discutiam com alguns fiéis da seita da Pedra. A armação e sua cobertura de lençol eram apenas um método para a isolar, e dessa forma, tentava explicar dra. Diana, deixar mais fácil o estudo do fenômeno rochoso.

— A dra. Diana vai me desculpando, mas os planos de Deus não devem ser entendidos, o homem não deve mexer com isso — argumentou um dos fiéis.

— Meu filho, issé uma pedra, não é deus não! — Retrucou dra. Diana.

— Deus é a Pedra e a Pedra é Deus! — Repetiu o pastor.

As horas daquele dia, como aquela discussão, demoravam uma eternidade. O encontro com Carminda não chegava e Ambrósio não conseguia tirar o pensamento dela. Acontecia de tudo e não chegava a hora de largar a farda de garçom e rumar para o areal.

Da praça chegavam as notícias. Após o almoço, um assistente da dra. Diana tinha trocado tapas e bofetes com um dos fiéis. Chamara-o de lunático e a alcunha pegou. Não tardou para que todos os adoradores da Pedra passassem a ser assim chamados. Fato é que, lunáticos ou não, passaram a montar guarda ao lado da Pedra, dia e noite, sem permitir que ninguém se aproximasse Dela. Se dra. Diana tinha conseguido pegar uma amostragem da Pedra ou não, era coisa de que ainda não se sabia.

Não saíram de sua guarda nem quando chegaram o trator e o guindaste que o prefeito tinha mandado buscar na capital. Deitaram-se ao redor da Pedra, gritavam e empurravam qualquer pessoa que se aproximasse. Foi preciso a ação da Guarda Municipal, distribuindo bordoadas de tonfas e cassetetes, para limpar o caminho às máquinas que levariam a Pedra dali para sempre.

Não conseguiram. Por mais que os motores das máquinas se esforçassem, por mais que tossissem fumaça e óleo diesel, por maior força que empreendessem, não conseguiam mover a Pedra um milímetro sequer.

Quando, enfim, a empresa contratada pela prefeitura desistiu do intento, percebia-se, no entorno da Pedra, que a terra ficara seca e o capim tinha morrido esturricado. Tinha sido ação do trator? Da movimentação frenética ao redor da Pedra? Seria ação da própria Pedra? Dias depois, Biu Lapada começou a maldizer o povo de Lemuri.

— Povo desinformado, povo cheio de superstição! — Xingou. — Dra. Diana tem que estudar essa peste dessa pedra logo! Já pensou se essa miséra secar as terras de Lemuri? A gente tem que saber dessa desgraceira.

Nenhum frequentador da sua bodega discordava. O problema eram os lunáticos, que não frequentavam bares, cuja opinião era claramente contrária à investigação científica sobre uma dádiva de Deus. Na verdade, eram os únicos que acreditavam nas qualidades da Pedra. A opinião geral na cidade era desfavorável.

— Meu filho, chegou cedo hoje... — Disse a mãe de Ambrósio.

— Tô meio indisposto, mãe — mentiu —, vou comer com vocês e vou me deitar.

Não ia. Passou vinte minutos deitado e, percebendo que ninguém o iria chamar para mais nada, pulou pela janela do quarto no chão de terra batida iluminado pela enorme lua que estava no céu naquela noite. Saiu ciscando pela mata adentro. No caminho, desviando de tocos e espinhos, escutava o pio da mãe-da-lua. Os animais tinham sua empatia e, entre esses, os pássaros ocupavam lugar especial, mesmo quando estava trabalhando na roça ou tangendo o gado, gostava de imitar seus sons. A mãe-da-lua, não. Pássaro agourento, inimigo dos homens, ave fantasmática lamentando-se pela noite.

Noite de Carminda não era noite de lamento.

O areal estava bem iluminado pela lua cheia. De longe avistou Carminda deitada numa canga, esticada com as mãos sob a cabeleira crespa, escorando a cabeça com o olhar perdido no céu.

— É tanta estrela que tem no céu do sertão, né? — Ela perguntou ao pressentir sua aproximação.

— E então...

— Tu já fosse na capital?

— Eu não, perdi nada lá.

— Oxe, não sabe o que tá perdendo... lá é bom que só! — Disse a menina.

— E por que foi que tu voltasse, se lá era tão bom assim? — Inquiriu Ambrósio.

— Nada não... quero falar disso não.

— Desculpe, desculpe.

— Não tem problema.

Um silêncio denso.

— Pois o defeito da capital é a falta desse céu! — Continuou Carminda. — O povo da capital não sabe o que é não precisar de energia elétrica. Aqui em Lemuri, nas noite de lua, precisa acender lâmpada não, a lua e as estrela alumia a gente.

— Taí uma verdade.

Olhando-a com mais calma, Ambrósio percebia algo de que não tinha suspeitado anteriormente: Carminda não devia ser mais velha que ele. No máximo, a mesma idade, talvez um ano mais nova. Seus olhos vivos só eram menos ligeiros que sua boca.

— Tu fala pouco, né? — Perguntou.

— Sou de muita conversa não — respondeu Ambrósio —, meu negócio é pescar, tanger gado, pastorear passarinho... é disso que gosto.

— Assim fica difícil, melhor ir embora, vou ficar falando sozinha, é?

— A gente podia fazer coisa melhor... — Disse Ambrósio se aproximando.

— Eita, mas vocês, homens, só pensam nisso, né? — Reclamou Carminda. — Eu num disse que hoje num é dia?

— Oxe, e eu tava falando disso?
— E tava falando de quê?
— De nada não, não sabe nem do que era e já tá reclamando, oxe!

Enquanto Ambrósio fingia-se ofendido, Carminda sorria com o canto dos olhos, se aproximando dele no momento em que ele olhava para o outro lado.

— Tu tem medo que o povo te veja comigo não?
— Eu não, qué que eu tenho a ver com o povo?
— Tu sabe... o povo é falador demais, aqui em Lemuri, e se chegar nos ouvido de tua vó, vixe, Filó tira meu couro.

Ambrósio se importava, sim. Não queria nem pensar na possibilidade de ser visto com Carminda. Dizia de si para si que ia fazer como dissera Felipe: *comer de graça o que os grã-finos pagavam para comer*. Não naquela noite.

A mão de Carminda pousou na sua. Apertou-lhe os dedos. Ambrósio virou-se, os olhos se encontraram e navegaram uns nos outros, os corpos aproximaram-se sem perceber as cercanias de um querer mais primitivo. Os lábios de Carminda eram quentes. Ele percebeu que seu corpo ansiava por esse momento, sentiu que seus lábios pacificaram seu peito.

Abriu os olhos depois da eternidade daquele beijo.

Carminda ria gostosamente. Ela não era propriamente virginal. Entretanto, não deixava de estar comovida.

Abraçados, contemplando a imperturbável superfície do riacho, escutavam o barulhar da mata. Delicadamente, Ambrósio apontava para uma árvore próxima ao riacho, rindo. Um mão-pelada olhava para eles enquanto eles o olhavam de volta. Provavelmente media o perigo que o casal representava e, convencendo-se de que não eram caçadores, pulou de galho em galho até chegar à margem oposta. Pegou algum pequeno animal com as mãos lisas e delicadas. Bateu algumas vezes no chão, matando a presa. Dirigiu-se ao riacho e a lavou. Estendeu-a em uma pedra e se alimentou.

Eles observavam esse ritual com curiosidade. Aqueles dois jovens de trajetórias tão diferentes, desconhecidos um para o outro, tinham uma coisa em comum: eram parte daquela natureza.

— Penso que gente é como bicho...
— Tirando a sujeira, né? — Disse Ambrósio.
— E a inocência.
— De quem? Do bicho?
— Não, da gente!
— Quem é que é inocente aqui?
— Eu, mesmo não podendo, já tô mergulhando na tua querência. Já viu urubu se aninhar com bem-te-vi?

O mão-pelada sumiu, e só um grilo cantava distante. Depois da caminhada pelas horas vivas, despediram-se com um beijo curto e um até logo.

Ambrósio pulou para dentro, pela janela entreaberta, escutando a quietude da casa do Lajedo. Apenas um grilo entoava uma cantiga lá perto do curral, para não dizer que o mundo estava completamente silente.

— Ele já chegou, Mocinha, pode dormir... — Sussurrou a mãe.

Ambrósio escutava sorrindo e adormecendo.

O CALOR QUEIMAVA A PELE, rachada como o solo, daquelas senhoras que carregavam seus baldes d'água para seus casebres. A estrada, nos arredores da cidade, contornava o quintal das últimas casas que divisavam o asfalto e o chão de terra. Em uma quadra cujas casas tinham sido abandonadas há muitos anos — de onde se via, da estrada, a praça da Pedra —, uma mulher puxava duas crianças pela mão enquanto equilibrava uma trouxa de roupa suja na cabeça. Ao ver a multidão que, àquela hora da manhã, aglomerava-se em torno da Pedra, exclamou para sua irmã.

— Num sei o que esse povo besta vê nessa pedra! Vôte...

— Só se fala nisso, mulher, e ninguém num consegue tirar essa bicha dali... — Respondeu a irmã.

A menina, com sua boneca a tiracolo, mirando a Pedra e a multidão, perguntava-se outra coisa.

— Mãe, se ninguém num consegue tirar a Pedra dali, cuma foi que trouxero?

— **CINCO DIAS.** Foram cinco dias de peleja e num conseguiro derrotar Zé Onça. Aí foi que Zé Onça deu a sua cartada final: estirou uma bandeira branca pela janela e propôs a paz. Da janela mesmo, gritou que deixava um conto de réis dentro do hospital e assinava uma carta prometendo num voltar mais por aqui. O acordo foi feito. Documento assinado por Zé Onça e por Manoel Cavalcanti. Dali em diante o que se diz, daqui até os rincão da Bahia, é que em terra de Cavalcanti, Onça não se cria. Mas deixa que a vingança tava armada, Zé Onça ali num voltava, que era homem de palavra, mas o acordo não dizia nada sobre o bando de Firmino, primo de Zé Onça, que fazia o cangaço lá pelos lado da Paraíba... e foi nas festa de Páscoa daquele ano, quando Mané tinha matado uma rês gorda e mandado chamar parente de tudo que era canto, até da capital. Desguarnecidos de tudo, os Cavalcantis foram pegos de calça curta. Quando viro, o fogo já ia alto no armazém e na coxia. Quando dero fé, foro ver, o cabra que tava tomando de conta tava morto de facada, o corpo estirado no chão. Aí, meu filho, foi da vez que os Cavalcantis sentiro necessidade. Foi. Porque o que tinha em casa tinha, mas o que tinha guardado pra estiage, foi-se tudo no incêndio. E o peste do Zé Onça planejou tudo, fez um ataque na Paraíba no mesmo dia pra mostrar que num tinha sido ele. Inclusive, foi por essa época que tive novas notícias do teu avô. O barrigão já tava grande, pela boca, como se diz. Um caixeiro-viajante vinha passando por Lemuri, e assuntando, assuntando, queria saber onde eu morava. Contaro e ele veio bater cá no Lajedo. Vendendo isso, vendendo aquilo, esperando meu tio partir pra dentro. Quando se viu sozinho comigo e com tia, ele disse que tava ali pra dar notícia de teu avô. Disse que quase foi pego na saída da cidade, mas escondeu-se num carregamento de bode que ia pras bandas de Caruaru. Do jeito que aquilo gostava de bode, foi bem empregado. O caixeiro disse que ele tinha ido bater na capital, tava organizando o povo por lá, que mandava me buscar quando eles vencessem a briga com o governo. Se a briga deu certo, não sei, só sei que ele num mandou me buscar não. Agora, culpa dele num foi, tenho certeza, que por ele vinha me ver.

A NOTÍCIA SE ESPALHOU. Pela língua do povo, pelas páginas dos diários regionais, pelo vento. O fato é que, dia após dia, chegava gente para ver a Pedra de perto, tocá-La — tudo sob o olhar atento dos lunáticos —, tirar fotos ou apenas conferir se era verdade. O fluxo trouxe vida e dinheiro. Biu começou a ter um ganho maior, assim como seu Ivo Padeiro. Filó não escapava da bonança, nunca se vira cabaré tão cheio.

Nada disso passava despercebido ao prefeito e seus assessores. A oposição também calculava. O prefeito, arrumando utilidade para o dinheiro dos impostos que entrariam com aquela chegança, a oposição matutando uma forma de desgastar o prefeito no meio da maior visibilidade regional de Lemuri.

A ideia foi de um assessor, mas tinha sido do prefeito para todos os efeitos: construir um museu da Pedra.

— Olhe, isso vai ser bom demais — disse o prefeito para um aliado seu —, a gente vai contratar uma empresa dum amigo da capital pra construir esse museu. Aí na etapa de construção a gente já atrai gente pra visitar as futuras instalações do maior museu de uma pedra desconhecida do mundo!

— Mas seu prefeito, até um dia desse o senhor tava dizendo que essa pedra era uma desgraça, que era intriga da oposição...

— Só quem se lembra disso é tu!

— A oposição também lembra...

— Agora foi que deu... e já visse político se balizar pelo que diz a oposição? O esporte preferido desse país é meter o pau no governo. Porém, tem o segundo esporte mais praticado, que é falar da vida alheia.

— Oxe, qué que uma coisa tem a ver com outra? — Perguntou o assessor.

— Tudo. Preste atenção: cada um disputa pra ver quem é mais hipócrita. Daí fala mal do governo pelo que faz cotidianamente. O governo não liga pros pobre! Procure saber, esse que tá dizendo tá nem aí pra pobre; o governo é corrupto, pode procurar, o mais corrupto é o que tá alarmando.

— E daí?

— Daí que, tão logo vira unanimidade falar mal do governo, perde a graça. Aí já vai d. Maria a dizer – e imitando uma voz estridente – *tá vendo aquele ali, menina, fala tanto do governo e veve dando calote nos outros; e aquele acolá? Fala mal do prefeito, mas não pode ver* um vereador que é logo pedindo emprego pra comer feito pato e trabalhar feito pinto!

Os dois sempre se divertiam com as imitações do prefeito. Seu diagnóstico fazia sentido?

— Pois tá decidido! Já falei com meu amigo, as máquinas começam a chegar na próxima semana. O dinheiro não, esse vai aos poucos pra não correr perigo.

— Quem? O dinheiro?

— Não, a risada...

— Mas já? A Câmara vai gostar não...

— E o que me importa? Quero ver eles ficarem contra um projeto que a cidade inteira vai abraçar!

Nisso o prefeito tinha razão, Lemuri abraçou fervorosamente a ideia do museu da Pedra. Não se falava em outra coisa, afinal, era a única cidade da região que não tinha nada de próprio. Nas redondezas, tinha a cidade do milho, dos preás, da carambola, dos sibites, e várias outras. Agora Lemuri seria a cidade da Pedra.

A *Folha do Povo* não tardou. Anúncio feito pelo prefeito, placa colocada na esquina da praça, o jornal estampava: *Prefeitura estava despreparada para o advento da Pedra, apontam especialistas.*

À manchete, seguia-se uma matéria de fôlego que abordava os vários aspectos positivos da presença da Pedra em Lemuri. Economia, costumes, turismo, culinária, tudo ganhara em abrangência depois da chegada da Nobre Rocha. Após uma análise precisa desses elementos, o editorial era cru e incisivo: o prefeito não preparou a cidade para receber a Pedra, muito menos para potencializar Seus atrativos, menos ainda para aproveitar a atenção que Ela atrairia em proveito dos cofres públicos.

 Tão intenso era o envolvimento da sociedade lemuriense, que até Chico do Grotão, conhecido na região por sua rudeza e pouca afeição para novidades despropositadas, aquiesceu: a Pedra era, de fato, uma bênção. Isso já tinha sido dito, desde o início, pelos lunáticos e por seu pastor e líder, Umberto Azevedo. Cresceu o prestígio da nova religião que, de seita, passou ao reconhecimento público com um templo à beira da praça. Tinham alugado um casarão abandonado e improvisavam um templo com uma bancada de madeira, uns bancos grandes que a igreja matriz já ia jogar fora, porque tinha mandado fazer bancos novos, um letreiro improvisado onde se via uma Grande Pedra desenhada e contornada com os dizeres: *A Pedra que os pedreiros rejeitaram, tornou-se agora a Pedra Angular.*

 A chegada da Pedra apressara os dias. Aqueles dias modorrentos, cheios de vírgulas e reticências, tinham ficado pretéritos. Havia quem não gostasse das conversas monotemáticas e misteriosas, sempre em torno da Pedra, sempre trabalhando com a possibilidade de conspirações e deslumbre. No entanto, a maioria da população de Lemuri deliciava-se com a novidade que nunca perdia o frescor, mesmo com o passar de algumas semanas.

 Pudera, a Pedra vertia novidades diariamente. Num dia amanhecia opaca, para o alívio geral, noutro dia amanhecia coberta por uma fina camada de gelo — aí refletia mais intensamente a feiura das pessoas —, noutro, ainda, como se para fazer graça, fazia nascer em seu entorno pequeninas flores de cardo.

— Biu, tu já notasse que a praça num tem mais passarinho? — Perguntou Mônica.

— É mesmo, nunca mais vi...

— Pois, será que os bicho têm medo da Pedra? — Indagou.

Realmente não era de se passar despercebido. A praça, outrora repleta de animais silvestres pela sua proximidade com a mata de caatinga que ficava por detrás da bodega de Biu Lapada, agora silenciava de manhã, de tarde e de noite. Nunca mais se ouvira cantar um barranqueiro, uma concriz ou um joão-bobo.

— Eita, eu fico arrepiadinha, piá! — Disse Mônica.

— Deixa de ser besta, Mônica! Com o alvoroço quesse povo tá fazendo em redor da praça, tu acha bem que os bichinho vão ficar de boresta?

— Será que é por isso?

— E por que mais havera de ser? Tá bestando, mulher? Eu queria mesmo é que esse sariguê feladaputa que tá roubando os ovos das minhas galinhas sumisse, isso sim! Passarinho, por mim, tanto faz como tanto fez.

Para Ambrósio, não. Se havia algo que o encantava profundamente era o canto dos passarinhos. Imitava alguns, passava horas tentando aprender outros. Da infância trouxera uma fixação na ararinha-azul. Em uma de suas lembranças mais vivas, via uma ararinha-azul pousada em um galho muito perto dele. Sua mãe apontara, dissera que aquela ave era difícil de ser vista. Que cantiga bonita ela cantava. Soubera que estava extinta na natureza, só restando alguns indivíduos da espécie em cativeiro, mas ele jurava ter visto uma recentemente. Se aquelas memórias tinham acontecido ou foram criadas, é coisa de que não se sabe.

Naquele fim de tarde, sentado numa pedra na beira do riacho, aguçava os olhos em direção à outra margem, tentando enxergar algo, mas não era ela. Era um azulão. Aquele pássaro gorjeava como quem marca carreira, era inconfundível aquele agudo, grave, agudo, grave, agudo.

— Nunca viu um azulão não, Zito? — Perguntou Felipe, que se aproximava.

— Claro que já vi! — E completando. — Qué que tu tá fazendo aqui?

— Oxente, e tu comprou a casa velha e num me avisou, foi? — Riu.

— Claro que não. Me assustei, só isso.

— Tá esperando alguém?

— Eu não, quem havia de esperar por aqui?

— E eu sei? Me diga você...

Não precisou. Em um descuido, Carminda pisou em falso e quebrou um galho. Fugiu por dentro da mata, mas já tinha sido vista.

— Eu num acredito, não! Tu tá namorando com Carminda, Zito?

Silêncio. Será que Carminda ainda escutava o que era dito pelos dois?

— E se tivesse? Era da tua alçada?

— Mas Zito, deixa de ser mamãezado! Tá vendo que isso num tem cabimento?

— Te perguntei? Tá feito maria fuxiqueira agora, é?
— Ai, ai, ai...
Os dois ficaram se olhando, calados. O que é que Felipe sabia da vida, afinal? Era moleque de sítio, como Ambrósio, era inexperiente nos assuntos das saias, como Ambrósio.
— Pelo menos tu comesse?
— Tenha respeito, seu fresco...
— Respeito? Respeito, Zito? A gente ainda tá falando da puta Carminda? Ora, respeito...
A noite ia caindo no riacho por cima da casa abandonada. Ainda estava quente, mas ao longe já se escutava o bacurau.
— Olhe, se você contar pra alguém, já sabe, né? — Começou Ambrósio. — É verdade, tô namorando com Carminda, e é coisa séria. Há umas semanas que a gente se encontra aqui.
— E ela deixou de quengar?
— Claro que não... eu tenho dinheiro pra dar de comer a ela, por algum acaso?
— E esse é teu plano? Tu endoidou, só pode...
— Tu é meu amigo ou não?
— Por isso mesmo... tô tentando impedir tu de se lascar. Zito, depois de uma desilusão amorosa, tu lembra o que aconteceu com Zeca? Até hoje é aluado, dizem que vive lá em São Paulo com um pandeiro, esmolando na rodoviária! Aquilo, um cabra estudado, bacharel! Tu que não tem nem o ginásio, toma no sedém igual ao nego Bastião!
— Rapaz, eu tô apaixonado. Essa miséra dessa mulher desgraçou comigo, Felipe, num me reconheço mais!

— Comesse?

Ambrósio assentiu com a cabeça.

— Eita, porra! Foi bom?

— Foi.

— É muito diferente? Tu sabe... da bronha... — Perguntou Felipe.

— É. Vixe, tem nem comparação. É mesmo que comparar Jesus Cristo com Zé Buchudo!

— Essa sorte eu num tenho... — Reclamou Felipe.

— Oi, e já é sorte? Agorinha eu era doido... — Riu Ambrósio.

— É doidiça tua mesmo!

— Olhe, vou te dizer um negócio, tu num conta pra ninguém. Já tenho tudo na cabeça: vou ganhar o mundo com Carminda, tô juntando dinheiro, vou bater na capital com ela.

— Vôte... tá variando! Tu quer passar o resto da vida como corno, Zito?

— Rapaz, deixo Lemuri pra trás! Quero nem saber qué que cês tão falando por aqui... hum... vou-me embora pra capital, lá ninguém sabe que Carminda era puta, vai ser minha esposa, mulher de família!

— Deixa de conversar miolo de pote, Zito! Tu só tem dezesseis anos... vai desgraçar tua vida e a vida da pobre! Triste da mãe que bota filho e ele faz da boca cu!

— Também não é assim, Felipe.

— Claro que é! Aliás, tu vai fazer a ingratidão de deixar tua mãe, tua vó e tua irmã pequena sozinhas, desnaturado duma figa!?

— Felipe, o homem é um animal ingrato e, mais que

ingrato, egoísta. Os homem só é capaz de amar uma mulher na vida. Desde criança a gente ama a mãe da gente, das outra a gente só gosta mais ou menos. Aí aparece uma mulher e bate os sino. Aí o cabra tem que ir embora, se ficar junto da mãe, nunca que vai amar a mulher dele direito.

— Blá, blá, blá... vai abandonar a própria mãe, pense num papel! E tem mais...

Ouvindo as reprimendas do amigo, Ambrósio perdia as vistas no horizonte, onde imaginava haver a estrada e depois, muita estrada depois, a capital.

A TERRA EM VOLTA DA PEDRA SECOU, todo verde ao redor desapareceu e, passado um mês de seu aparecimento, a Pedra estava mais solitária e imponente que nunca no centro da praça. A vigília dos lunáticos continuava, mas se antes eles montavam guarda ali pertinho Dela, sentados em cadeiras de plástico, agora vigiavam a partir da calçada do templo, do outro lado da rua. Aparentemente, não se sabia bem o porquê, aqueles que ficavam por muitas horas perto da Pedra caíam de sono por dias. Os que ficavam alguns minutos passavam o resto do dia sonolentos.

A maioria da população da cidade se negava a acreditar que a Pedra tivesse qualquer relação com o sono súbito que acometia os que se demoravam nos arredores da praça. Apesar dos apelos de dra. Diana e da sua equipe, o culto a Ela necessitava de proximidade.

No entanto, antes que esse assunto tomasse corpo, outra novidade invadiu a praça e as rodas de conversa de Lemuri: a chegada dos engenheiros e operários da construtora contratada para construir o museu. A pousada de Maria Rita foi alugada de cima a baixo, fechada, todos os quartos e o quartinho dos fundos, para abrigar os homens do museu, como ficaram conhecidos os forasteiros.

Acontece que alguém tramava o fim da Pedra, mas, como é de se esperar da sociedade nessas ocasiões, ninguém dava atenção a isso.

— Infelizmente, os fatos confirmam as suspeitas: o prefeito tá, definitivamente, envolvido com a grande conspiração da Pedra — disse Arnaldo para o pequeno círculo.

— Nado, todos que tão aqui — com ela, Vicência, eram seis — já deram mostra de que tão contigo, então, não fique brabo... mas será que vamo conseguir algo contra essa organização internacional tão poderosa?

— Claro que vamo!

— Como tu tem tanta certeza? — Perguntou Felipe. — A gente é só seis, eles, só de filipino, é gente que só a gota!

— A vitória de uma causa não tem nada a ver com o número de adeptos. A história prova isso! — Disse Arnaldo, superlativo. — A questão toda tá em mostrar, pro povo, a verdade.

— Que verdade? — Perguntou um seu partidário.

— Sobre a conspiração da Pedra, homem, tu tá dormindo, é? Faz mais de mês que a gente se reúne pra falar disso!

— Calma, Arnaldo, calma... — Disse uma.
— Tá... vamo ao que interessa. O caso é que a gente tem que fazer alguma coisa. Lemuri é o ponto nevrálgico dessa luta internacional!
— É o quê? — Perguntou Felipe a Vicência.
— Sei lá... — Ela respondeu.
— Aqui — continuou Arnaldo — é o lugar que ainda não tinha sido tomado pela febre da Pedra. Mas agora é só no que se fala. Mas ainda temos tempo, porque se acabarmos com a Pedra, o povo de Lemuri acorda, percebe o erro, volta a cultivar seus valores anteriores. É preciso destruir a pedra!
— Mas, homem, tu não viu que ninguém consegue tirar a bicha do lugar? — Inquiriu Benário.
— Vi, claro que vi, mas quem disse que quero tirar ela do lugar? Com a pedra não basta algumas mudanças, nem de lugar nem de posição... a única solução é a destruição dela, bum, jogá-la pelos ares!
— Explodir? — Perguntou Vicência.
— Exatamente.
— Mas aqueles lunáticos vigiam a pedra vinte e quatro horas por dia, não vamo conseguir chegar nem perto.
— Por isso chegou a hora de ampliar nossas fileiras — discursou Arnaldo. — Antes, até agora, tinha que ser pouca gente mesmo, para dar liga, mas agora é hora de chamar todo mundo pra compartilhar as ideia com a gente!
Foi o que fizeram. Por dias e dias, o grupo de Arnaldo, por todos os cantos da cidade, espalhou a sua teoria. Não foi um fracasso completo. Apesar de serem

recebidos com riso e deboche por grande parte daqueles a quem abordavam, algumas pessoas acabaram por aderir ao grupo, prometendo participar da reunião ampliada que aconteceria no final de semana posterior. Mais ainda: conseguiram que algumas pessoas, bem posicionadas na sociedade lemuriense, se decidissem por financiar o movimento no intuito de que chegasse a mais pessoas. A Pedra, apesar das melhorias que tinha trazido ao comércio da cidade, não era uma unanimidade entre os que detinham posses.

Era o caso de Alberta Viriato. Alberta, chamada Berta pelos mais íntimos, era a herdeira de uma família tradicional da região. Os Viriatos tinham parentesco com os Cavalcantis, mas, tendo menos dinheiro que eles, eram mais antigos e descendiam de espanhóis. Por algum motivo os lemurienses acreditavam que descender de espanhóis era mais nobre que descender de portugueses. Coisas de Lemuri.

Apesar de toda essa nobreza, Berta vivia de aparências há muitos anos, desde a morte da sua mãe. A velha Tina, chamada Albertina em sua certidão de nascimento, negociava bode e seus derivados com a capital. Não era fazendeira, mas atravessava a mercadoria através da sua transportadora, a *Viriato leva-e-traz*. Berta herdou a transportadora. Vendeu para um primo bastardo, com mais dinheiro e menos viriatismo, por um preço muito acima do que realmente valia. Desde então, vivia desse dinheiro.

Alberta continuava a ser convidada para as festas da alta sociedade lemuriense por dois motivos: pelo nome e por ser a pessoa mais bem informada da cidade. A Pedra acabava com o segundo motivo. Como todo mundo só falava da Pedra, ninguém parava para prestar atenção detalhada às atividades alheias. Dessa forma, ela acabava sem suas fontes primárias de informação e, sem tê-las, como divulgar em primeira mão para os frequentadores das festas *high-society*?

— Olhe, o combinado é claro — dissera para Arnaldo —, você tem quinze dias pra sumir com essa danada dessa pedra daqui! Dê seu jeito...

— Pode deixar comigo, d. Berta. Apesar de sermos adversários no plano político da cidade, temos interesses comuns contra essa conspiração.

— Sim, sim, agora vá — dissera.

É óbvio que toda essa movimentação antiPedra não passou despercebida pelos Seus adeptos. Os lunáticos passaram a interpretar o surgimento do movimento antiPedra como um sinal do final dos tempos. Como alguém poderia querer destruir o objeto-símbolo da vontade de Deus?

Arnaldo conseguiu tanta repercussão para o movimento que até deu uma entrevista de página inteira para a *Folha do Povo*, em que explicava a pauta do movimento e o porquê de suas reivindicações se dirigirem à oposição, e não ao prefeito. Segundo ele, era inútil dialogar com o prefeito, pois ele já estava absolutamente entregue à conspiração e à corrupção característica daqueles que foram tomados pela febre da Pedra. A oposição era a única que tinha possibilidade de governar sem a influência filipina.

Juca Calisto não deixou de pontuar, no editorial daquele mesmo dia, que não concordava com a visão negativa que Arnaldo tinha da Pedra, mas que não podia deixar de publicar as denúncias que trazia contra a prefeitura, pois eram sérias, graves e deveriam ser apuradas.

Acontece que não havia apenas favoráveis e contrários a Arnaldo. Os indiferentes eram esmagadora maioria e, entre esses indiferentes, uma parcela significativa simplesmente desconhecia as reivindicações do grupo. O fato é que eles se concentravam no boca a boca, na conversa de pé de muro, nas reuniões longas e intermináveis.

— Arnaldo, tu não acha que seria bom a gente fazer feito Juca, não? — Perguntara Felipe, certa vez.

— Fazer feito Juca, o quê?

— Sei lá... digo... a gente podia escrever um jornal, vender por aí, fazer uma rádio pra conseguir levar a verdade pro povo que não sabe ler, ou que não gosta.

— Besteira! Por mais que inventem tecnologias, nada superará o calor humano de uma boa conversa.

— Issé bonito, visse? — Ironizou Felipe.

— Bonito e verdadeiro!

— Verdadeiro, aí eu já num digo...

— Tu sabe de nada, zé ruela! O qué que pode saber um frangote feito tu, contra a sabedoria da experiência acumulada de anos nas tradições da luta contra a Pedra no mundo inteiro? Porra nenhuma! Tu chegou agora que a Pedra chegou aqui em Lemuri, eu tô nessa desde menino, quando ela já tinha tomado conta de meio mundo.

— Tá certo, então...
Arnaldo vislumbrava algo maior. O crescimento do movimento o tinha feito perceber que não precisava de um adepto com tantas dúvidas e chatices, como era Felipe, nem alguém com tanta moleza e problemas, como era Vicência, muito menos com alguém cheio de questionamentos e arrogância, como era o caso de outros ainda. O crescimento do movimento o deixava livre desses. Poderia concentrar-se apenas na vitória contra a conspiração, e pensava nisso todos os dias e todas as noites, quase não conseguindo dormir, ansiando o dia em que desfilaria triunfante pelas ruas de Lemuri: vencedor.

Não seria um caminho tranquilo, pacífico. O templo da Pedra crescia em número de adeptos e embelezava-se a cada dia; em pouco tempo, o museu também estaria pronto, via-se pelos alicerces que já começavam a despontar. Se havia uma concordância entre a oposição e o prefeito, era a Pedra, apesar das críticas que eram feitas, mutuamente, por motivos outros.

Foi o que se viu no dia da inauguração da pedra fundamental do museu.

— Hoje é um dia histórico pra nossa cidade — o prefeito começava o discurso sempre com frases diretas —, finalmente Lemuri foi percebida em sua grandiosidade inata. Romeiros de toda a região vêm até aqui pra ver a Pedra, círculos de cientistas da capital já anunciaram interesse em estudar a Pedra; há três equipes jornalísticas aqui, hoje, pra reportar todo o esplendor de Lemuri pro mundo inteiro.

De fato, ao pé do palanque havia três carros de jornais da capital. Um deles com uma antena em cima, o que poderia significar noticiamento televisivo.

— Demorou, mas chegou o dia da bonança em Lemuri! — Disse Gumercindo.

Quando se dirigia à corda para cortá-la, parou de repente.

— Mas, prefeito, a Pedra apareceu há mais de mês, não acha que a gestão demorou muito a lançar a pedra fundamental do museu, não? — Perguntou Pedro Meia Garrafa, do meio da multidão.

— Não! A Prefeitura tem um cronograma elaboradíssimo de atividades. Talvez você não tenha percebido a quantidade de obras que se espalham pela cidade porque não fica sóbrio por muito tempo.

Os espectadores cobriram na vaia. Não foi possível escutar a resposta de Pedro. Quando os ânimos acalmaram, Juca, astuciosamente, emendou uma pergunta.

— Prefeito, é verdade que sua gestão tentou remover a Pedra? É verdade que só percebeu Sua benignidade quando a imprensa local passou a demonstrar?

— Tentamos removê-la, não nego, mas apenas para colocá-la em lugar mais nobre da cidade! — E falando mais alto para cobrir os protestos dos opositores. — Uma coisa que sempre esteve clara para mim: a Pedra não barra o caminho, Ela é o caminho!

A claque da prefeitura aplaudia fervorosamente.

— Não acredite nisso, ó povo de Lemuri! — Gritava Arnaldo de cima de um dos carros estacionados ali. — Tudo não passa de uma conspiração internacional, muito bem orquestrada, para dominar o mundo! Microfones e olhos voltados para Arnaldo. — O prefeito aderiu à conspiração! A oposição também! Só há um caminho pra voltar à felicidade: destruir a Pedra! *Herege!*, gritavam uns, *Terrorista!*, gritavam outros. — Vocês não percebem a conspiração? Ahn? — Perguntou Arnaldo, antes de começar a chover garrafa e pedaço de comida em cima dele.

O povo tinha perdido a paciência. Um qualquer não subiria ali, munido apenas da sua própria voz, para dizer impropérios sobre a Pedra cujos malfeitos foram dinamizar o comércio local, trazer vitalidade econômica à região e, finalmente, trazer à tona um assunto do qual todos estavam aptos a falar. Não apenas aptos, mas em vontades de falar.

A CHUVA PEGARA A TODOS DE SURPRESA. O anu-preto não tinha cantado, nem o carão, mas a chuva viera sem ser chamada. A sinfonia dos trovões e a claridade dos raios alcançaram a vastidão das terras vizinhas e, em muitos lugarejos distantes, dizia-se que Lemuri tinha acabado em água naquela noite, tamanha foi a danação. Os casebres abandonados que ficavam nas divisas do perímetro urbano não aguentaram e foram ao chão. O açude, que estava quase seco havia poucas semanas, sangrou.

Algumas lavouras se perderam, pois o aguaceiro foi tamanho que a enxurrada levou a plantação ainda rasteira. Foi o que aconteceu com os poucos pés de planta do Lajedo. O sítio, que ficava na parte baixa da cidade, recebeu grande parte da água que escorria do grotão e de outras localidades. Por isso é que desde a madrugada Ambrósio estava acordado, dividindo-se entre tirar água da varanda com um pequeno balde e afugentar os sapos que tinham subido do riacho à procura de um lugar mais alto. Enquanto a mãe consolava Gecinha, que não parava de chorar, Mocinha se balançava na cadeira e contava sobre o dilúvio bíblico.

— Uma coisa é certa: de água o mundo num se acaba mais. Isso Deus já disse, e homem que é homem num volta atrás com a palavra!

O único que parecia animado era Bituca. Latia para os sapos e para os insetos que davam rasantes pela área da varanda.

Quando a chuva apertou, Marta entregou Gecinha à mãe e começou a ajudar Ambrósio com uma panela grande. Aos poucos iam se livrando da água acumulada e dos sapos. Quanto aos insetos, não havia nada a ser feito, pois naquele meio de mato não era possível livrar-se deles jamais, muito menos quando o céu decidia desabar.

Por mais que tivesse sido pesado o trabalho para livrar Lajedo da água, Ambrósio não tirava a cabeça de Carminda. A casa de Filó era mais baixa ainda que o Lajedo. Como se virariam por lá? Contava as horas, sem que por isso elas se apressassem, para baixar à casa de Filó para, no mínimo, ver se estava tudo em pé.

Na cidade, a desgraceira assumira proporções de desastre. As armações que prenunciavam o museu caíram; o letreiro do templo da Pedra foi ao chão; uma das paredes da bodega de Biu Lapada foi derrubada pela ventania e, logo abaixo, na mesma rua, o telhado de um casebre ainda habitado despencara matando os três moradores: o pai, o filho e um cão sarnento que se encaminhava para morrer de velhice.

Chamava atenção a Pedra. Não apenas estava intacta, como, de modo incomum, tinha entrado quase um palmo para dentro da terra. Durante uma chuva, o normal é que o limite entre o chão e o que lhe esteja por cima fique mais evidente e, com a Pedra, tinha acontecido o oposto. Em vez de se ver onde acabava a Pedra e começava a terra, o que se via era a Pedra por dentro da terra.

Para os lunáticos o sinal era evidente: a chuva mostrava que apenas a Pedra era Deus. A Pedra era intransitiva.

O prefeito não quis abandonar a construção do museu. Aquele museu iria colocar Lemuri, definitivamente, no circuito de cidades que deveriam ser visitadas no Estado e, além disso, colocaria a sua administração para sempre na história da cidade. Apesar das sucessivas denúncias da oposição e da *Folha do Povo*, acusando-o de relapso e despreparado quanto à condução da cidade, por não ter dado a devida atenção à chegada da Pedra, a rapidez na construção dos alicerces do museu tinha alavancado sua popularidade.

Recursos de diversas secretarias do município foram realocados para atender à demanda. A Secretaria de Educação forneceu os novos tijolos que substituiriam os antigos, derrubados pela tempestade – afinal, um museu não era um esforço educacional? Sob o mesmo argumento, mobilizaram-se recursos da Secretaria de Cultura e Desporto, da Secretaria de Turismo, de Política Habitacional — inclusive construiriam um quartinho, nos fundos, para que o zelador lá morasse —, de Meio Ambiente e de Pesca. Sim, Lemuri, cujo único curso d'água era um desmilinguido riacho, contava com tal secretaria.

Não faltaram esforços e, em poucos dias, já a construção estava na mesma altura de antes da tempestade devastadora.

A chuvarada não derrubou apenas casas, tijolos e muros. Ambrósio foi obrigado a passar alguns dias reconstruindo um pedaço do quartinho em que guardava seus instrumentos de trabalho; além disso, um bezerro tinha sido levado pela chuva, ou escapara pelo buraco que se formou no chão embaixo do arame farpado da cerca.

No entanto, o pior colapso aconteceu dentro de Ambrósio. O trabalho dobrado acabou por afastá-lo das tardes à beira do riacho detrás da casa abandonada, em companhia de Carminda. Para aumentar sua desdita, a chuva trouxera consigo um novo engenheiro especializado em obras urgentes. O novo chegado, sendo engenheiro, não ficava na obra até o final do expediente e tornou-se frequentador da casa de Filó, arranjando-se com quem? Com a sertaneja mais aprincesada de Lemuri, obviamente.

Ambrósio soube disso por Felipe. O amigo, desaprovador de seu relacionamento secreto, correu para lhe contar a novidade, visto que morava próximo à casa de Filó e percebera toda a movimentação. Ao contar, esperava ódio em Ambrósio, mas o que percebeu foi tão somente desconsolo.

— Que cara é essa, Zito? Tá vendo que eu tava certo? Issé coisa que se faça, namorar uma rameira?
— Me deixe — retrucou Ambrósio —, pensa que eu não sabia que ela se deitava com outros? E não é o sustento dela?
— Que diabo de sustento, Zito, issé sustento que se tenha? E mais: se sabia, por que tá enfezado?
— Dito assim, com palavra certeira, sem arrodeio, com nome, sobrenome e endereço, na bucha? É muito pior do que saber, assim, na teoria — disse Ambrósio, enquanto chutava um pedregulho.

Felipe teve pena ou remorso.

— Por que tu não procura d. Nemusine? — Felipe referia-se a uma idosa que vivia na divisa da cidade com a estrada que dava para fora, diametralmente oposta ao grotão. Essa velha senhora, sentada em sua cadeira de balanço, passava os dias a tecer um bordado que nunca findava. A sua frente, um banquinho ficava à espera do próximo que ali sentaria para falar-lhe da vida e de suas agruras.

Fato é que não havia lembrança de tempo em que não houvesse d. Nemusine para escutar as pessoas que precisavam de um ouvido para derramar palavra. Não constava que tivesse falado nunca de suas impressões sobre o assunto tratado, nem com a própria pessoa nem com pessoa outra. Aliás, muitos acreditavam que ela não era capaz de falar, acometida por alguma ausência física ou uma enfermidade psicológica.

Por que fazia aquilo? Era um mistério. Como continuava a tecer e escutar, continuavam vindo, de todas as direções, homens e mulheres precisantes. Ao final da confissão, já quando os falantes calavam, Nemusine sorria ou se consternava com o olhar grave e ancião. A boca permanecia impassível qual suculenta na terra dura.

— Eu não, tenho nada pra falar com aquela velha bruxa! — Retorquiu Ambrósio.

Alguns acreditavam que Nemusine escutava o queixume das pessoas por bruxaria. Era notícia corrente que a idosa tinha um pacto com o diabo e, ao escutar a história, dita de bom grado, aprisionava a alma do infeliz que nela confiara. Não falava, pois, depois do pacto, só o demônio falava por sua boca murcha. Era nisso que a mãe de Ambrósio acreditava e, por conseguinte, era no que ele acreditava apesar de desacreditar um bocado do sobrenatural.

— Agora foi que lascou. Pedra nascendo em meio de praça, sem ninguém saber de onde veio e quem trouxe, é sinal de Deus. — E continuou Felipe. — Agora, uma pobre duma velha que ajuda o povo com seus ouvidos de escutadeira, desde que meu avô era menino, é bruxa aparentada com o cão!

— Uma coisa não tem nada a ver com a outra, tu tá misturando tudo, só porque faz parte daquela besteira daquela conspiração véia lá!

— Faço parte mais não.

— Largasse? Por quê?

— Aquilo tem futuro não, Arnaldo num escuta ninguém, só quer saber de arrumar dinheiro pro movimento ninguém sabe como. — E, falando baixo para ninguém escutar. — Pior é que ele tá certo, mas do jeito que tá fazendo, não vai dar em nada nunca!

— Oxe, se ele tá certo, num é melhor ficar do lado dele? — Perguntou Ambrósio.

— É nada... não basta tá certo sobre onde se quer chegar, é preciso saber o caminho, senão a gente fica feito besta, falando da mesma coisa sem ninguém ouvir nada!

— Humm, entendi...

— O pior é que dá um aperto no peito, sabendo que esse povo todo fica adorando essa Pedra miserável — Felipe aumentava a voz —, num sabendo que ela há de trazer tudo quanto é ruindade pra Lemuri. Num viu que agora num nasce mais nem capim, nem mandacaru, pelas beirada da praça nos arredor? E o povo que cai dormindo e só acorda depois de dias? E os muros das casas que rodeiam a praça, tudo empenado? E eu? Tô fazendo é nada contra isso...

— Mas, homem, se tu tá tão arrependido, por que não pede tua inscrição de novo? — Questionou Ambrósio.

— Eu não! Num tô leso... rapaz, eu tô fazendo nada porque num faço ideia do que fazer! Assim, tenho umas opinião, uns caminho, mas também num sei se tô certo não! Tô é perdido, pra falar a verdade.

— Então?

— Então que eles tão perdido também, mas acham que tão achado! Pra ficar perdido, melhor ficar perdido só, sabendo que tô perdido, que num tenho nada pra oferecer pra ninguém, do que tá perdido e achando que não, ou pior, fingindo que não!

— Vai te lascar, Felipe, tu quer é reclamar da vida! — Irritou-se Ambrósio.

— E tu acha ela boa?

— O quê, a vida?

— Sim.

— Acho não, mas também num fico com viçage de perdido e achado que ninguém sabe do que tu tá falando. Vôte!

— É capaz de ser isso mesmo, melhor é ficar calado, ir cuidar de minha vida e deixar Arnaldo pra lá, junto com os dele, que tão perdido, mas pelo menos tão fazendo alguma coisa.

— É melhor mesmo.

Sem mais dizer palavra alguma, Felipe levantou e andou sossegado até a porteira de fora do Lajedo.

Ambrósio ficou pensando sobre o que o amigo tinha dito, não apenas sobre Carminda, o engenheiro novo, a loucura do namoro com uma prostituta, mas também sobre a Pedra, Arnaldo e toda aquela polêmica em torno do acontecimento.

A Pedra já se tinha enterrado mais alguns centímetros para dentro do chão, enquanto o interesse da população, ao contrário, só aumentava e se espalhava. Mesmo nas maiores cidades da região, que antes tratavam Lemuri como periferia atrasada e provinciana, a Pedra não saía dos jornais e da boca do povo nos locais públicos. O prefeito de Santa Cruz do Riachão, discursando na Câmara Municipal, afirmou com todas as letras que a emancipação de Lemuri deveria ser revista, pois tinha sido fruto de compra de votos na Assembleia Legislativa do Estado.

Não seria tão simples. O museu da Pedra estava pronto e seria inaugurado em alguns dias com a presença do governador e de diversos prefeitos da região. Gumercindo demonstrava sua força através do museu e das constantes visitas turísticas que a cidade recebia. Aflorava na população o orgulho de ser lemuriense.

O templo da Pedra teve que se modificar. A quantidade de fiéis aumentava a cada culto e foi preciso colocar caixas de som do lado de fora para dar conta da audiência. Apesar da leve sonolência, ainda era possível permanecer nos arredores da praça, mas não em seus bancos. O pastor Umberto Azevedo recusava a alcunha de lunático. Argumentava que, se eles percebiam a importância religiosa da aparição da Pedra, é porque ainda tinham o coração aberto para os desígnios divinos e conseguiam interpretar os sinais Dele. Lunáticos seriam os outros que, absorvidos pelo mundo, não conseguiam alcançar a revelação. A salvação seria dedicar a vida à Pedra, e Nela depositar confiança e fé. Protegê-La dos hereges que queriam a sua destruição, levar a palavra da Pedra, para os quatro cantos do mundo, seguir Sua vontade. Esses eram os preceitos da Pedra.

Preceitos que foram explicados em riquezas de detalhes nas páginas da *Folha do Povo*. Há duas semanas, o diário tinha trazido, em sua edição dominical, um dossiê sobre a Pedra.

Datas, medidas da Pedra, estatísticas sobre as pessoas que vinham de longe para vê-La, entrevistas especiais com personalidades envolvidas com a manutenção e louvação pétrea. Uma linha do tempo foi exibida, tomando duas páginas inteiras da publicação, demonstrando a inoperância do Poder Público ante a emergência do maior acontecimento da história de Lemuri, talvez do país, quiçá do mundo.

Apenas uma voz, solitária mas combativa, levantava-se contra a Pedra: Arnaldo. Não que fosse despossuidor de seguidores, muito pelo contrário, mas que era a única personalidade a conseguir espaço na sociedade lemuriense para contradizer o consenso geral. Segundo ele, todas as benesses econômicas trazidas pela Pedra não passavam de uma cortina de fumaça para encobrir um plano muito maior que o país, maior até que o continente: petrificar o mundo. É verdade que o fato de a terra derredor Dela ir se tornando, a cada dia passado, dura, esturricada e acinzentada, além de a própria Pedra se enfiar no chão quase pela metade, dava alguma sustentação para a agitação do subversivo Arnaldo.

— Ave, depois dessa Pedra besta todo mundo parece que endoidou! — Reclamou Carminda.

— Quem tá certo é Arnaldo, essa peste dessa Pedra só veio foi pra lascar a gente! Cadê que apareceu Pedra na capital? Apareceu nesse fim de mundo, num pode prestar! — Resmungou Ambrósio.

A tarde planava de mansinho na margem do riacho. Só se ouvia a conversa dos namorados de muito perto, dado o cochicho próprio das conversas de querência. Para além do círculo do namorisco só se ouvia a cotia em festa e o farfalhar das derradeiras folhas de outubro. A noite se achegava dominando tudo, misturando os tons da tarde, enegrecendo a vida, acordando a bicharia notívaga e adormecendo a fauna ensolarada.

— Tu acha que essa história da poeira cobrindo as paredes das casa ao redor da praça tem a ver com a Pedra? — Perguntou Ambrósio.

— E o que mais havera de ser? Pra mim é coisa dada! Onde já se viu parede ficar mole feito dente de leite? Soubesse que Pedro Meia Garrafa sumiu?

— Sabia não!

— Pois sumiu sumindo! Só o que restou dele foi o rosto riscado na Pedra, e todo mundo tá dizendo que ele morreu e a Pedra tá dizendo isso pra gente — explicou Carminda.

— Pedro é sujeito estranho. Como é que o cabra se embriaga daquele jeito todo dia? Isso, pra mim, é o desgosto que ele tem de nunca ganhar a eleição. É um descontentamento como o do nego Bastião, mas em vez de ser por causa de mulher, é por causa de política.

— Como assim? Pelo que eu saiba, Bastião virou esmoléu, Pedro, não.

— Eu sei disso — justificou-se Ambrósio —, eu sei, mas o que estou dizendo é que o sujeito se destrói desse jeito quando não tem mais gosto na vida, quando tudo em redor é desilusão. No caso de Pedro, é desilusão porque não ganha pra prefeito, no caso de Bastião, que era muito mais trabalhador que Pedro, a mulher ter deixado ele é que foi o estopim para ele se largar no mundo, vivendo pra beber. Mulher acaba com um, Carminda.

O silêncio chega quando a palavra não basta. Ambrósio sabia que era chegada a hora de mais uma despedida, não demorava muito para a casa de Filó abrir as portas para mais uma noite de dança e de farra. Carminda, que emurchava-se a olhos vistos, sabia de suas obrigações.

— Por que tu não fica? — Perguntou propondo.

— Oxe, e eu tô doida?

— Por que doida? — Enraivesceu-se Ambrósio.

— Oxe, Zito, e eu vou pra onde amanhã? Tu esqueceu que todo mundo sabe que sou puta? — Retorquiu Carminda.

— E qué que tem? Bora lá pra casa! Quem disser tantinho assim de tu tá lascado, boto os bofe tudo pra fora numa facada!

— Deixe de bestage, menino, a primeira que ia te lascar era tua mãe! A pobre trabalha pra cuidar de tua irmã sozinha pra tu me botar pra dentro de casa? Filho ingrato assim eu num quero de marido não!

— Então a gente foge pra capital! — Disse Ambrósio se levantando e levantando a voz. — Lá é do tamanho do mundo, ninguém sabe quem sou eu, que dirá de tu. Aí eu vou vender feijão na feira e tu vai ficar o dia todinho cuidando de ser linda! Quando eu chegar em casa, de noite já, vai ser tanta festa que eu vou fazer contigo que tu num vai sentir falta nenhuma do cabaré de Filó!

— Apois sim, eu vou mesmo ficar dependendo de macho pra viver, visse?

— Dependendo? Dependendo nada, tu vai trabalhar como mulher direita, na cozinha e na casa, feito mãe...

— Vai te lascar, Ambrósio, tá me achando com cara de quê? — Percebendo que Ambrósio não falava nem piscava. — Olhe, já lhe contei o porquê de tá nessa vida, num foi? Eu carrego pedra no inferno, mas num vivo nas custa dum miserável dum homem!

— Pronto, você tudo se aperreia, parece que num sabe conversar direito. Tá bom, trabalha eu e tu na feira, é bom que o rendimento é dobrado!

Carminda chegou perto do riacho, virando as costas para o namorado. Que pensava, naqueles minutos eternos? Considerava? Colocava os planos de Ambrósio na prova dos nove?

— Fica, se tu ficar eu sei que tu me ama...

— Eu te amo, mas num posso ficar — disse Carminda feita de orvalho —, além desse teu plano não ter cabimento, devo muito a Filó. Num fosse ela, eu tava ainda na mão de Robério.

— Oxe, deve é nada. Tu dá é lucro pra ela! — Revoltou-se Ambrósio.

— E seria diferente se eu ainda morasse com aquele miserável?

— Não...

— Apois, deixe de coisa, amanhã tô aqui de novo, agora preciso ir.

Despediram-se com um beijo duro. Enquanto via a crespidão de Carminda se afastando mata adentro, entristecia sob as estrelas do céu sem nuvens da noite sertaneja.

No caminho para casa encontrou Inácio, professor das séries fundamentais da sua escola. Bêbado, como era de seu feitio nas tardes em que não dava aulas, logo que avistou Ambrósio abriu-se em espadas.

— Diz, Zito, sabe das nova?
— Não, qué que foi?
— Dra Diana recebeu o resultado dos testes que mandou fazer na capital. A pedra não só tá deixando toda a terra a seu redor infértil, como, sabe esse sono todo que dá no povo? Pois ela num descobriu que issé propriedade venenosa da própria Pedra? Oxe, a coisa vai ficar muito pior, meu filho, pode se preparar, amanhã tá na capa do jornal, dizem que até o governador tá preocupado!

— **DEPOIS FOI O QUE SEMPRE TEM SIDO.** — Mocinha se balançava na cadeira enquanto Ambrósio pitava uma palha. — Eu, tua mãe e tu. Depois uns anos foi que veio tua irmã, e nada do teu pai voltar. Meus tios morreram quase juntos, já beirando os oitenta anos, que eles eram bem mais velhos que minha mãe. Tu já tava nascido quando eles se foram. Eu nunca pensei que fosse ficar tão triste. Pela vez primeira eu dei fé de procurar meu pai e minha mãe que, por essa altura, haviam de ter esquecido meu pecado. Mortos também, segundo soube em Santa Cruz, um primo ficara com o sítio. Dele num quis nem saber, porque onde já se viu nem me procurar pra contar do passamento de meu pai e de minha mãe? Até hoje, quando alembro, dá raiva daquele condenado. Oxe, pois na mesma época, que parece que o passado combina pra visitar o vivente pelo mesmo caminho, soube notícia de teu avô. Dissero que tava magro feito um tamanco, só o pau e o couro, versado nos caminhos de fugir, feito Zé Onça, vestido numa domingueira e procurando por meu nome em Lemuri. Uma amiga, que hoje endoideceu e num fala mais, veio me avisar. Mandei recado dizendo que ele voltasse pela mesma estrada. Ora, por quê?... anos sem querer notícia minha, sem saber se viva ou morta, sem me procurar pra nada. Fazia agora causo de quê? Não sou galho ribeirinho pra ave de arribação. Desde aquele dia que eu não saí de casa mais. O mundo é um palco sem coxia e essa tragédia, que é viver, num tem ensaio não! Pronto, e teu pai não fez o mesminho? Nem bem tu botou dente, disse a tua mãe que ia meter o pé no mundo, fazer dinheiro e voltar. Naquela época, foi, num foi, um fazia isso. Saía com o vento fazendo a curva nas costa e o tempo fazendo graça na frente. As mulher desde nova sempre escutaro história de tomar cuidado com areia movediça, mas é a terra firme, dura e seca, que carrega os homens e deixa a gente viúva de marido vivo pelos caminhos da chuva. Pois tua mãe pediu prele ficar, mas nem por isso. Arribou. Tu não era gente ainda. Aí foi difícil, eu, em idade de não, tive que voltar pra lida. Ia deixar tua mãe te criar só? Há muito que se sabe que as degredadas filhas de Eva foro condenadas a ser tudo irmã, seja mãe, seja tia, seja vó, seja conhecida e só. É a maior irmandade do mundo. Mas voltando ao assunto, aconteceu de tu ter sido criado na barra das saia da gente, como tu deve se alembrar, e, com pouco tempo, a gente conseguiu se resolver sem os braço do teu pai pra dar cobro da terra. Levantamo cerca quando a água derribou, plantamo, colhemo, pintamo casa, matriculamo tu na escola, tudo dentro dos conforme, tão dentro, mas tão dentro dos conformes, que já nem sentíamos mais falta do teu pai. Aí ele voltou. Sim, voltou voltando, cheio de dinheiro, sorriso na cara e braços abertos. Sabe duma coisa? Ele ajudou. Dai a César o que é de César: foi ele quem comprou as terra do finado Zacarias e duplicou as posse do nosso sítio. Foi uma felicidade só. Uma semana de felicidade e farra, até um bode a gente matou! Mas, como felicidade de pobre é mais curta que coice de preá, belo dia ele virou-se pra tua mãe e disse que num podia ficar, porque tinha se comprometido com o patrão. Tinha que voltar de todo jeito, mas que ela não se preocupasse que ele ia voltar ainda mais estribado! Ai, ai. Eu sei que tu se alembra disso, tu já era um rapazinho. O pior não foi nada, pior foi que quando ele danou-se no mundo de novo, deixou tua mãe buchuda de Gecinha. A pobre... sofreu mais que carpideira em tempo de bonança. De besta, porque eu tenho certeza que num tinha patrão nenhum, tinha era outra mulher, mais nova e sem menino pendurado. Ela é burra como eu, ama teu pai como, até hoje, eu amo o miserável do teu avô, que nem insistiu em me ver quando eu mandei dizer que num vinhesse!

O PROFESSOR INÁCIO ESTAVA CERTO quanto ao diagnóstico de dra. Diana, no entanto, errou quanto à capa da *Folha do Povo* do dia seguinte à chegada dos exames. O periódico estampava, parnasianamente, uma matéria sobre os benefícios do ovo cozido para uma dieta alimentar que privilegiasse um bom desenvolvimento físico do indivíduo. Nenhuma palavra sobre a Pedra. Aliás, mesmo o prefeito, caso raro naqueles dias, não deu uma palavra em público no dia seguinte ao resultado dos experimentos.

Indo para o colégio, Ambrósio percebeu uma alteração sutil na paisagem: todas as ruas que circundavam a praça central estavam carecas. Nenhuma árvore, nenhumazinha, permanecia onde estivera no dia anterior. Como ficou ali, parado, com o olhar perdido na Pedra, chamou a atenção do dono da calçada.

— Tá ca vida ganha, moleque Ambrósio?
— Tô não, tô até atrasado pra escola, Biu.
— Pois avie, não fique bestando por causa dessa Pedra não! — Resmungou Biu.
— Eu que nunca fui muito com a cara Dela, já tô desconfiado que a queda das árvores da praça tem a ver com Ela.
— Será, Biu?
— E o que mais havera de ser? E as árvores combinaro e marcaro dia de ficar podre, foi?
— É, tá tudo muito estranho — espantou-se Ambrósio.
— Estranho é eu ter que levantar a parede da venda com meus próprios recursos — reclamou —, quando o prefeito é quem devia pagar os estrago da Pedra dele.

O mais estranho é que as árvores não apodreceram. Aparentemente caíram de pesadas. Folhas, hastes, galhos, tronco, raízes. Tudo pesado e denso, duro como pedra. E ao redor da Pedra, nas beiradas Dela, terra, mato, brita, calçada, asfalto, muro, uma caixa esquecida na beira do meio fio, tudo, sem exceção, cinza e impenetrável.

Do outro lado, em oposição exata a Ambrósio, um fusca com uma caixa de som acoplada no teto berrava. Andando ao seu lado ia Arnaldo, empertigado, vestido numa camisa branca com os dizeres *abaixo a pedra!*, dava voz.

— Por que o prefeito e o jornal calam sobre as pesquisas de dra. Diana? — Inquiria. — Será que temem que o povo fique sabendo, não por crendice, mas pela ciência inegável, que a pedra tão louvada por ambos, na verdade, vai levar nossa cidade ao caos e à morte? Desde o início, eu e meu grupo temos denunciado essa situação e sua premeditação pela conspiração internacional dos filipinos! E agora, que até a parede de algumas casas tão caindo? Nas ruas ao redor da praça só o que se vê é o cinza da Pedra! E sabe o que acontecerá se continuarmos permitindo a presença Dela entre nós? Tudo será pedra, inclusive as pessoas!

Em pouco tempo, o discurso de Arnaldo trouxe gente de diversas partes da cidade para a praça. As repartições foram deixadas às moscas, as lojas fecharam mais cedo, até alguns agricultores saíram de seus sítios para saber o que estava acontecendo. A mãe de Ambrósio também se fez presente na praça, junto com Gecinha.

Em pouco tempo a aglomeração era tamanha que exigia a presença da Guarda Municipal. Desde o aparecimento da Pedra, a praça não ficava tão cheia de gente. Juca Calisto sabia que, a despeito de seu interesse em ficar longe dali até que tudo estivesse mais evidente, precisava cobrir esse acontecimento. Também o prefeito sabia que precisava estar na praça.

Logo a difusora de Arnaldo foi completamente abafada pela caminhonete de som do prefeito. Com a voz esganiçada que lhe era característica, munido de microfone e de alguns seguranças, adentrou a multidão junto com o cerimonial da prefeitura. Decidira inaugurar o museu naquele momento, ninguém nem nada iria lhe estragar o grande trunfo. Ou assim pensava.

Enquanto as secretárias de Gumercindo dispunham a fita vermelha ante o prédio recém-construído, a multidão estava silenciosa. Mesmo a difusora de

Arnaldo calara-se. Nem mesmo Juca Calisto imaginara que o prefeito iria, naquelas condições, inaugurar o museu à Pedra. O experiente jornalista impacientava-se. Não possuía segundos para fazer cálculos, mas fazia-os. Não conseguia se decidir. O prefeito sairia na frente e ganharia a simpatia da população com aquilo? Dava um tiro no próprio pé? Juca maldizia o diabo desse tempo que não se deixa domar.

— Até o dia de hoje, Lemuri esteve fora do mapa! — Começava o prefeito. — Mas esse dia entrará para a história de todos nós! Eu gostaria de dizer apenas algumas palavras e...

— Mentiroso! — Gritava Arnaldo. — Todo mundo tá vendo que essa Pedra tá lascando o povo desta cidade!

— Quem é você pra falar em nome do povo? — Gritou mais alto o prefeito. — Seu radical, seu comunista decrépito!

Foi quando começou o arranca-rabo. Gritavam de lá e de cá, tanto os partidários de Arnaldo quanto os partidários de Gumercindo. Não era possível distinguir o que diziam, só se escutava o estampido das palavras colidindo no ar.

As poucas pessoas que apenas observavam retiraram-se da praça quando a chuva começou a cair. Primeiro fina e renitente para, em seguida, tempestear-se. Se no início da chuva o lamaçal tomara conta da praça, lama já não havia, e a água que ali caía limpava as imperfeições do chão, deixando o piso liso como um espelho, como a Pedra. Com a água, os gritos e gestos firmes refletiam no chão e nos olhos raivosos.

Foi de repente, urgentícia luzidia: um clarão estupendo e um estouro qual tambor de fogo cortaram o ar, calando bocas e disparando adrenalina na multidão. Seguiu-se o silêncio e a estupefação. Nada gritava, ninguém refletia. Enquanto todos se entreolhavam à busca de qualquer indício de razão naquela barafunda que se tornou a tempestade repentina, um berro apavorado cortou o ar qual lâmina amolada. A mãe de Ambrósio expulmonava-se em guinchos pavorosos, como um bicho acuado, trespassado pela fome e pelo desespero. Debruçada sobre um embrulho, negava o que via, à exaustão, como só quem tem certeza e dimensão da tragédia é capaz.

Todo o entorno era impassível. Aquela gente toda, bestificada.

Ante a realidade inegociável, o poder ali presente silenciava. Nenhum assessor precisava falar, nenhum agitador precisava dizer, museu nenhum, jornal nenhum, representante nenhum podia conjunturar; o trágico não tem nome.

A única a falar era Gecinha, que não tinha mais futuro. Nunca mais correr no terreiro, nunca mais pular o muro, nunca mais abraço em Bituca, nem na mãe, nem no mano, nem colo de vó, que é pedaço de paraíso. Aquele trapo mirrado, em tudo mal-acabado, fiapo de existência, jazia nos braços da mãe. A cidade terrificava-se ante visão de morte tão minguada.

Como a tragédia se impõe, os dias passaram e, de braço em braço, de passo em passo, de oração em oração, pessoas, vindas de diversos sítios da região, primeiro velaram e, em seguida, enterraram o corpo. A menina tomou o vento e se fez lembrança dentro do bucho da terra.

Difícil era o voltar para casa. A vó mais enxuta, porque feita de lágrimas mais vividas, acostumadas a velar gente querida. A mãe mais seca, inventando afazeres para não tropeçar com os olhos em lembranças, como se fosse talhada em angico e não em carne. Ambrósio, úmido, ainda pouco experiente no trato com o finamento, vagava pela pequena casa, tornada imensa com aquela ausência. Vez em quando pertubava-se à vista dos pertences de Gecinha, porque as miudezas de quem segue pela derradeira estrada não descansam. Qual relicário sagrado, espreitam no despovoamento do quarto, esperam por alguém que, em novo uso ou atribuição de valor, traga notícias do mundo sensível. Naquele fim de tarde, tão logo Ambrósio entrou no cubículo que era o quarto de Gecinha, bibelôs, quinquilhares, caixinha de música, um seu lenço cor de estrada, os dois únicos brinquedos que compunham as posses da menina — uma boneca encardilha e uma capa da noite, onde se escondia dos papões sertanejos, de Comadre Fulorzinha e do Curupira; tudo aquilo perguntava por ela, cada objeto daquele entalava em sua garganta, revolvia suas tripas em vontades de berrar.

— A morte é a pior injustiça que Deus inventou — sussurrou entre os dentes trincados.

FELIPE ERA ÓRFÃO DE PARTE DE PAI. A orfandade o encontrara muito jovem, quando ainda contava onze anos incompletos. Seu pai era vaqueiro e morava com a família nas terras da família Cavalcanti. Um dia, notou um cano que saía do açude novo da propriedade em direção à cerca. Estava escondido entre as ramagens da caatinga, mas o sol tinha feito reflexo no azul de sua cor. O pai de Felipe seguiu no encalço do cano, que desaguava no sítio do Riachinho, vizinho das terras dos Cavalcanti. Mas, antes que pudesse voltar, fora visto. Perseguido pelo proprietário do Riachinho e por seus dois filhos, ainda conseguira ultrapassar a cerca, mas bala de fuzil não reconhece fronteiras e duas alcançaram seu peito e sua cabeça. Fosse esse assassinato na capital, o corpo seria encontrado boiando no açude, mas, do agreste para dentro, sujar água é pior que matar. O corpo foi encontrado atrás de um lajedo enorme, por baixo de uma carqueja.

A mãe de Felipe recebera certo apoio financeiro dos Cavalcanti nos primeiros meses de viuvez, pelo que era muito grata, mas o menino nutrira ressentimento. Culpava principalmente Gumercindo, que prometeu a sua mãe que mataria o dono do Riachinho, sem nunca cumprir a promessa.

Com o tempo, a ajuda dos Cavalcanti não chegava mais e as crianças já reclamavam. A mãe dele começou vendendo animais e utensílios. Vendeu primeiro a vaca. Depois um bode. Por último, depois de muito se desfazer de posses, vendeu a sela e o alforje do marido, as únicas lembranças dele.

Primeiro foram os vizinhos, aos cochichos, depois o assunto saiu das cozinhas e ganhou as salas. Alguns meninos mais velhos começaram a espalhar na escola que o dono da mercearia frequentava a mãe de Felipe e que, por isso, ela conseguia fiado em cima de fiado para dar de comer aos filhos. Mais de uma vez ele levara surra na defesa do bom nome da mãe. Em vão, falava-se disso em todo canto da cidade. Dessas coisas que toda a gente sabe, porque tem um conhecido que viu ou presenciou, mas que nunca se pronuncia em primeira pessoa.

Crescera, portanto, com uma raiva meio rouca dentro de si, à procura de despejá-la. Talvez por isso, não é possível ter certeza depois do acontecido com ele, tinha entrado de cabeça no grupo de Arnaldo. Acreditava no envolvimento dos Cavalcanti no surgimento da Pedra. Pensava que lutar contra ela era, indiretamente, ir contra eles. Desejava vingança, qualquer que fosse, que pusesse o mundo em ordem.

Mas tinha sido a decepção com Arnaldo que o levara àquele extremo. Para ele era evidente: aqueles que convencessem os indiferentes ganhariam a peleja, porque os indiferentes eram maioria, mas não se mantinham neutros o tempo inteiro. Na hora agá, pensava, decidem-se por quem está mais em evidência. Mas como se destacar agindo da mesma forma sempre? Como atrair os mais jovens para a luta contra a Pedra, se as palavras usadas eram velhas e murchas? Ele sabia que estas perguntas eram inúteis, mas desconfiava que apenas perguntas poderiam obter respostas.

— Arnaldo tá preocupado é com a imagem dele, só isso — dissera a Vicência, certa vez.

— Mas não é disso que o povo gosta, espetáculo? — Ela respondera.

— É! Mas isso vai levar a gente a lugar nenhum.

— E quem disse que ele quer ir a algum lugar? As eleições tão aí, ele aparece dia sim, dia não na *Folha*, daqui um pouco é eleito vereador, e da vereança, quem sabe, prefeito? — Ela argumentara.

— Talvez, então, um bom espetáculo possa acordar o povo.

— Do que você tá falando, menino?

— Dar exemplo, Vicência, dar exemplo, acordar as massas pelo exemplo.

Felipe já arquitetava esse plano há algum tempo.

Mas e a motivação para tomar o impulso final? Sim, porque não se explode nada sem um gatilho. Talvez tenha sido a morte de Gecinha, ver na cara de seu único amigo a desolação, a mesma desolação que trazia consigo desde o assassinato de seu pai; talvez o estopim tenha sido avistar o dono da mercearia saindo de sua casa apressado, em um dia em que chegara mais cedo. O que se pode afirmar é que, em uma madrugada do dia quarto após a morte de Gecinha, amarrou umas dinamites ao corpo, rumou devagar mas decidido para a Pedra e explodiu-se, na tentativa de espatifá-La, mas não houve sequer um risco em Sua superfície. Ou isso, ou ele pegou no sono enquanto acendia o pavio da dinamite e se explodiu acidentalmente. A verdade voou pelos ares, o que sobrou foi narração.

— **EU SEI QUE TÁ DOENDO**, mas tu tem que reagir, Zito! — Disse Carminda, enquanto lhe afagava os cabelos. — A vida é dura com a gente é pra gente aprender!

— Aprender o quê?

— Aprender a ser duro, duro feito pedra!

Os dias se arrastavam desde a morte da menina. A prefeitura dedicou-lhe luto, a escola também. A casa de Mocinha recebia, noite e dia, gente vinda até de Santa Cruz. Quem conhecia a menina, ou lhe conhecia o irmão, a mãe ou a avó, acometia a Lajedo para prostrar-se em condolências.

Ambrósio não suportava mais aquela situação. A única visita que realmente lhe fizera bem tinha sido a de Felipe, que há tempos não via. Estava soturno, despalavrado. Passou quase uma hora calado ao lado do amigo que, igualmente calado, estava anestesiado pela proximidade da morte.

Ao se despedir, antes de cruzar a porteira da frente, olhando o horizonte como se lá fosse lugar, Felipe disse para Ambrósio: *isso não vai ficar de graça não.* O que a frase significava Ambrósio não sabia ainda. Não queria saber, na verdade, pouco se interessava pelos assuntos de Felipe naquele momento.

— Eu devia ter adivinhado que ele ia fazer aquilo — Ambrósio referia-se à tentativa de explosão da Pedra por parte de Felipe —, ele saiu daqui com um brilho esquisito nos olhos, parecia meio abilolado.

— Ele ficou revoltado, porque também ninguém faz nada contra essa Pedra que só trouxe desgraça!

— E o qué que se pode fazer? — Perguntou Ambrósio.

— Isso foi burrice de Felipe! Tinha nada que se explodir com a Pedra. Ainda mais que todo mundo já sabia que a Pedra não pode ser explodida.

— Também não precisa chamar ele de burro — contrapôs Carminda —, inda por cima que não pega bem falar mal de quem já se foi!

— Pronto, aquele peste morreu, não virou santo não. Tu fica defendendo ele aí, mas ele não gostava de tu nem um tantinho assim — completou.

— Zito, só quem gosta de mim é tu e Filó. Se eu for falar mal de todo mundo que não gosta de mim nessa cidade, minha língua incha e eu morro entalada com ela.

— Sei é que já me faltava Gecinha, agora me falta Felipe também. Tu fica cada vez menos tempo comigo... não tem nada que fica bom nessa vida!

— Ah, Zito, sem essa, já te disse que o trabalho tá puxado! Filó tá de olho em mim, anda desconfiada de nós dois!
— Pois que descubra! Pelo menos tu ia ter que se decidir, ou eu ou os macho que vão bater na casa de Filó!
— Tu num sabe que essa conversa num tem futuro, Zito? A gente já brigou foi muito por causa disso!

Quando Carminda armava aquela tromba ficava mais bonita. Ambrósio também fechou a cara para o lado dela. Assim, fechados e de bicos armados, os dois se despediram naquela noite.

Os dias estavam fastidiosos e vazios. A ausência de Gecinha era enorme e a morte de Felipe dobrava a melancolia.

Enquanto andava a caminho de casa, decidiu arrodear pela cidade, para passar os olhos na Pedra maldita. Diziam que o rosto de Felipe tinha ficado gravado no topo Dela, junto com o de Pedro Meia Garrafa. Era o único vestígio da explosão, pois, em tudo, Ela estava igual. Dizem que deu para ouvir o estrondo em Santa Cruz do Riachão.

A última conversa com o amigo não tinha sido nada agradável. Brigaram por causa de Carminda, ele implicou com a desconfiança de Felipe com Arnaldo e ainda tinha esculhambado com d. Nemusine, que apenas se dedicava a escutar as dores alheias e de quem Felipe tanto gostava. Que matéria bruta fazia dele alguém tão rude com aqueles a quem amava?

Agora, passando pelo portão de Nemusine, a ideia de falar com ela não parecia absurda. Afinal, além de Carminda, não havia quem se dispusesse a lhe escutar as lamúrias.

Da rua, era possível avistar o cume branquinho da cabeça balançando-se numa velha cadeira de balanço. Abaixo dos fios brancos, um xale colorido e um vestido tão envozado que era possível imaginar uma ninhada de netos brincando ao redor dela.

Ao ver o menino parado em sua frente, Nemusine abaixou o livro que estivera lendo e pousou os olhos nos de Ambrósio. Com um gesto breve, fechou o livro e o colocou numa mesinha a seu lado. Uma cadeira vazia e convidativa se deixava ao lado da velha.

A hesitação durou pouco e logo ele atravessava o diminuto e modesto jardim, que cheirava mais que havia, para sentar-se na cadeira.

— Boa noite, dona Nemusine, não tá tarde pra senhora escutar minhas queixas? — Começou Ambrósio.

A velha sorriu e deu a entender que ele deveria continuar.

— Eu sou neto de Mocinha, filho de Marta e irmão de Gecinha que nem foi gente e já morreu. — Ele teve a sensação de que Nemusine já sabia disso tudo, mas prosseguiu. — Acontece que a vida tem sido muito ruim pra mim, e eu não tenho com quem falar, pois meu melhor amigo tentou explodir a Pedra e acabou explodindo ele mesmo, em pedaços tão pequenos que ninguém achou nenhum até agora. Felipe, a senhora conhecia? Pois foi ele quem disse que eu tinha que vim aqui.

A tudo Nemusine dizia já saber. Sem falar, sem se mover, apenas dava a entender, e Ambrósio entendia.

— Eu dei pra me apaixonar por uma das meninas de Filó. Ela ainda é novinha, ainda é mais nova que eu, que nem tenho dezoito, ou seja, tem salvação ainda. Pelo menos é o meu plano, mas não é o dela. Eu quero fugir com ela pra capital, mas ela não quer, e ainda tem o fato da morte de minha irmã agora, minha mãe tá que só o pó da rabiola. Enfim, é isso, boa noite, viu? — Apressou-se Ambrósio.

Nemusine, pela primeira vez naquela noite, não sorriu. Encarou Ambrósio, levantou-se sem dele tirar os olhos, arrastou-se até a porta que dava para o que, provavelmente, era a sua sala. Abriu a porta com a fadiga avexada dos velhos, passou plurilentamente pelo umbral e sumiu para dentro das entranhas da sua casa. A cadeira em que estivera até aquele momento ainda se balançava levemente, o xale jazente em seu encosto.

Aquela mudez era inquestionável: Ambrósio deveria segui-la para dentro.

Ao passar a linha divisória entre a varanda e a sala, o cheiro da infusão que por ali se espalhava lhe invadiu as narinas impregnando seu humor. Erva cidreira? Capim santo? Boldo? Não dava para saber com exatidão, apesar de Ambrósio conhecer esses cheiros intimamente. Mais parecia uma mistura das três essências.

Um pequeno móvel de centro, de madeira gasta mas nobre, coberto com uma renda branca ensantecida, governava a sala ali, de seu meio. Em cima, um pequeno jarro, com água pela metade, investia sua languidez no delicado caule de uma rosa branca de aparência tão viva quanto a água aparentava pureza. No entorno, duas poltronas e um pequeno sofá se certificavam do acolhimento completo do diminuto móvel. Sobriamente verdes, sofá, poltronas e tapete dispunham-se entre as interrupções da sala. Cercando a harmonia, as quatro paredes eram cobertas de estantes de cima a baixo. Livros estavam dispostos organizados por tamanho, do menor para o maior, dos lisos para os encadernados. Tantos livros que Ambrósio perdeu o olhar tentando estabelecer outra lógica em sua arrumação.

No meio da maior estante se destacava um pote de barro, simples e vulgar, um pouco arranhado nas laterais. Vivia em seu interior, e para além dele, uma suculenta. A aparência de pedra, a consistência de planta, a parecença de flor, era a dissonância híbrida que reinava na harmonia ambiente.

Alguns minutos doloridos se passaram antes que Nemusine surgisse lá de dentro, carregando uma pequena bandeja com duas pequenas xícaras e um pequeno bule.

Ambrósio sentou-se numa das poltronas e recebeu uma das xícaras. Dentro, um líquido terroso, meio verde, ainda se volvia no próprio calor. Sentada a sua frente, servindo-se do chá, Nemusine o fitava.

— Agora, meu filho, diga uma coisa que ninguém saiba — disse a velha com voz mansa.

— Oxente, e a senhora fala? — Espantou-se Ambrósio quase se levantando da poltrona.

— Assim como você.

— Mas o povo diz que...

— O povo não diz, repete! — Interrompeu Nemusine. — Todos querem ouvir os novos, mas ninguém dá ouvidos aos velhos que, no entanto, podem relatar aquilo que os jovens só podem ler.

— Mas por que você nunca falou?

— Viu? Acabei de falar e você tá me perguntando o porquê d'eu nunca falar.

— É que eu pensei que você não tinha falado nunca com ninguém daqui.

— Não apenas falei, como nomeei diversos sentimentos relatados a mim, mas as pessoas estão encantadas demais com a própria voz. Como ninguém quer me escutar, dificilmente eu estou certa e todos errados, né? Alguma razão há. Portanto, decidi ficar reclusa, assim ninguém precisa me aturar e eu, em contrapartida, tenho tempo para mergulhar na fala de quem sabe mais que eu.

— Os que vêm aqui?

— Não. Esses são como as gralhas, não sabem o que dizem, dizem por dizer, gastam palavra. Eu me referia a minha biblioteca.

— E o que tanto você quer falar, que ninguém tá prestando atenção? — Perguntou Ambrósio.

— Nada que todo mundo já não saiba.

Enquanto Nemusine bebia o seu chá, Ambrósio tentava entender o que ela dissera. Afora a novidade da fala dela, havia ainda o inusitado das palavras.

— Mas isso é o que me aperreia atualmente, o qué que a senhora quer que eu diga mais?

— Me fale sobre a Pedra, por favor.

— Mas é só do que se fala, a senhora num pediu que eu falasse de algo que ninguém soubesse? Eu num tô entendendo mais é nada!

— É só o que se fala, é verdade — disse Nemusine —, mas me diga: como essa Pedra foi parar ali, justamente no meio da praça? Ouvi dizer que ninguém consegue movê-la e que mesmo a explosão de seu amigo não lhe causou nenhum arranhão, não é estranho?

— É. Mas e daí?

— Quem conseguiu colocar a Pedra ali, se ninguém consegue tirá-la?

— E eu que sei?

— Eu sei que você não sabe, aliás, ninguém sabe, e é isso que me deixa verdadeiramente curiosa: por que ninguém tá fazendo essa pergunta?

— Oxente, do que adianta fazer uma pergunta que ninguém sabe responder? — Perguntou Ambrósio.

— E o que adianta fazer perguntas para as quais já existem respostas? — Questionou a velha.

Nemusine serviu mais chá nas duas xícaras. Enquanto o fazia, manteve um sorriso vago no rosto.

— Também não me interessa — disse Ambrósio —, eu quero sair daqui.

— Para onde? — Perguntou Nemusine.

— Para um lugar mais desenvolvido, em que o povo não vigia tanto a vida dos outros, onde eu possa viver em paz com Carminda...

— Esse lugar existe?

— Claro que sim, e a capital?

— Tem certeza que ninguém se preocupa com a vida alheia por lá? — Perguntou Nemusine. Olhava Ambrósio por cima dos óculos redondos.

— Não sei, mas certamente, lá, ninguém sabe que

ela é quenga, podemos começar vida nova.

— Se é assim, o que tá esperando?

— Que ela aceite. Eu só preciso de uma palavra.

— Então precisa de tudo — disse a velha.

Enquanto sorvia mais um gole, Nemusine mantinha os olhos fixos nos de Ambrósio, dando a estranha sensação de que poderia antever o seu pensamento.

— O que importa saber, Ambrósio, é se isso é o bastante. Sabe? A estrada que você tem pela frente é maior que a que tá nas suas costas — explicou —, mas, no final das contas, é fácil olhar para trás e se orgulhar, a memória é uma colcha de retalhos e é você quem a costura, mas, se fosse possível, como a criança que fomos se sentiria ao saber do adulto que nos tornamos?

— Não saberia dizer.

— Ninguém sabe ao certo como dizer, mas todos podem imaginar.

— Eu me apaixonei por ela, preciso tá com ela, mas não queria abandonar minha vó e minha mãe! — Disse, finalmente, Ambrósio.

— Leve, então, as três!

— Minha mãe e minha vó jamais aceitariam conviver com Carminda — disse Ambrósio, exasperado.

— Então decida. Isso é o que ninguém sabe: o conflito que tu carrega é só teu, e só tu sofre com ele. Resolva e compre outros conflitos.

Por um tempo ficaram se olhando. Ambrósio percebeu que o chá tinha acabado no bule, e que Nemusine sorria para ele sem nenhuma palavra por trás do sorriso. Ele entendeu que precisava sair, pois o relógio na parede apontava quase onze horas da noite. Nenhum barulho chegava da noite que entrava pela janela, e apenas o ziguezague de uma mariposa volteando a lâmpada do jardim existia lá fora.

Antes de ultrapassar a porta, já decidido a ir o mais rápido que pudesse à casa de Filó, Ambrósio voltou-se para Nemusine uma última vez.

— Sobre a Pedra, d. Nemusine, a sra. sabe alguma coisa?

— Não. A Pedra, para mim, é um desacontecimento.

— Será que a gente vai conseguir tirar ela dali antes que ela destrua a cidade?

— Não há quem tenha ombros para carregar a Pedra — disse —, ela não é menos, é o mundo.

Dali, Ambrósio saiu um pouco desnorteado, mas decidido a ultimatar Carminda. Fosse como fosse, naquela noite, antes dela virar madrugada e se enviuvar, a namorada teria que se decidir: iria com ele para a capital ou ficava sem ele. Se ele iria só para a capital ainda não sabia, mas a situação não continuaria como estava.

Enquanto seguia para o cabaré de Filó, Ambrósio percebeu que a cidade estava mais movimentada que o normal. Àquela hora, em geral, a cidade parecia um cemitério, mas naquela noite o contrário acontecia. Primeiro ele cruzou com um grupo de operários da construção do museu que vinham da casa de Filó, depois passou por uns estudantes que, munidos de baldes e vassouras, grudavam panfletos nas paredes desvigiadas, para, em seguida, passar por Arnaldo, que atravessava a praça da matriz cochichando com Berta Viriato.

Ao se aproximar do cabaré, que ficava na subida para o alto do cruzeiro, Ambrósio percebeu que Filó dispusera as mesas do lado de fora da casa, talvez pelo calor que fazia. Ao perceber a aproximação dele, Filó veio em sua direção, enraivecida.

— O que tu veio fazer aqui? Num tá vendo que num tem idade?

— Vários dos meus colegas vêm aqui, por que num posso vim? Meu dinheiro é pior que o deles?

— Não, num é, mas respeito tua vó mais do que a deles, e ela não gostaria de saber que tu tá por aqui! — Disse Filó. — Vamo, tome rumo, por favor, não arranje confusão pra mim, nem pra você!

Ambrósio prestava-lhe pouca ou nenhuma atenção. Por sobre seu ombro viu Carminda sentada no colo do engenheiro que viera da capital para imprimir rapidez à obra do museu. Trajando apenas uma calcinha e o sereno da noite, Carminda ria e festejava com um copo de cerveja na mão e o pescoço do sujeito envolto pelo outro braço.

Aquilo cegou Ambrósio.

Afastada Filó com um movimento de mão, partiu em direção à mesa onde estavam os homens da construção da famigerada obra, que, de longe, viram sua aproximação.

— Então é assim que tu diz que num suporta esse feladaputa? — Berrou Ambrósio.

— Zito, não faz isso, por favor, fica na tua... — Implorou Carminda, que tinha sido atirada ao chão quando o engenheiro se levantou.

Os homens gargalhavam.

As meninas de Filó se uniram em volta daquela mesa, prevendo o pior.

— Deixa de teus pantim, moleque! Que foi que tu perdeu aqui? — Perguntou o engenheiro.

— Eu não perdi nada, mas tu vai perder essa venta, miséra!

Quebrando uma garrafa que estava à mão, Ambrósio tentou atingir o engenheiro, mas foi impedido por um operário que quebrou uma cadeira nas suas costas. Mesmo que ele conseguisse levantar, estava cercado por mais de cinco homens, e, sozinho, o que poderia fazer? No chão ficou e ainda recebeu uns chutes e cusparadas antes que os homens se fartassem de humilhá-lo.

— Vai tirar esse cheiro de mijo, moleque, que tu num pode cum mulher ainda não! — Disse um dos operários. — Uma bicha desse tamanho? Tu se treme todo e num faz nada!

Todos os homens ao redor riam.

— Pode ficar com essa puta, zé ruela, tabacudo! — Disse o engenheiro. — Amanhã tô voltando pra capital, e tu acha bem que eu quero saber dessa quenga... era a única bonitinha dessa cidade bosta! Pode ficar pra tu! Agora, se tu quer conselho de quem viveu mais, presta atenção: fica brigando com quem é mais que tu por causa de mulher, visse? Vai dar certinho pra tua tampa!

Enquanto ele, ajoelhado, olhava para o chão, tomado pela vergonha, ela era recolhida pelas outras mulheres. Filó, deixando mesas e cadeiras para fora, entrou e fechou as portas. Antes de cerrar a última janela, mandou Ambrósio para casa.

— Tá satisfeito, sarará? Taí tua merda. Foro embora sem pagar, te deixaro aí, humilhado, e sabe quem é que vai se lascar, né? Carminda. Tu vai pra casa chorar nos teus panos, os homens vão embora pra capital, e ela fica aqui, conhecida por ser uma quenga que se apaixona, sem clientela fixa. Tu só pensa em tu, né? Vai timbora!

Aquelas palavras selaram a humilhação.

Ambrósio, parado defronte da porta de Carminda, ajoelhado na terra e na tristeza, não pôde se conter.

— Carminda — berrava na madrugada —, tu só pode não ter coração nenhum! Desde a primeira vez que eu te vi na praça, tudo que meu peito queria era passarinhar tua gaiola, pastorear o teu querer, mastigar tua macieza! De lá pra cá, nem por um minuto eu quis outra coisa que num fosse a beira daquele riacho, deitado no teu colo, vigiado pelos mão-pelada, musicado pelo bacurau. E tu me faz uma dessa, infeliz? Qué que eu faço com essa britadeira futucando meu juízo, cavucando a carne à procura de pedra que cimente o que eu sinto? Melhor era ter morrido junto com Gecinha, ter me explodido na Pedra no lugar de Felipe, que tinha o juízo no lugar, mas não, eu, tão sabido, metido a cavalo do cão, me envolvi com quem nunca mereceu e táqui o que eu ganhei: tu, desgraçada, maledicente, traíra, derramando no chão tudo que é mole do nosso carinho. Teu amor não vale nada, nosso namoro é como olho de cego: só serve pra chorar!

Só o silêncio acompanhava o desespero.

— E sabe o que é pior? Eu mereço tudo isso e muito mais! Felipe botou gosto ruim, o povo da escola também, até Filó, essa quenga velha, botou gosto ruim! E eu quis saber? Fui seguir os conselhos daquela bruxa e me estabaquei! Taí o que ganhei: uma dúzia de par de chifre e uma porta na cara! Tu, nem pra pedir perdão, preu te esnobar, preu te nomear imperdoável! Desgraça, peste ruim, carniça, miséra, estrupício, fuleira: diz que vai comigo pra capital, por amor de Deus!

O fôlego tinha acabado, a matraca calou-se, a água lavou o rosto e o pastoril não veio. Só os sons do noturno se pronunciavam.

O caminho para casa parecia feito de olhos.

O PREFEITO SAIU NA FRENTE. Não havia um poste, muro branco ou pedra, no perímetro urbano de Lemuri, em que não estivesse estampada a capa do dossiê elogioso que a *Folha do Povo* tinha elaborado sobre a Pedra. Na rádio, no programa de Beto Gastão, Gumercindo fazia um pronunciamento quase oficial.

A Prefeitura não tolerará este vandalismo — começava —, *não é possível que a Guarda Municipal não tenha visto quem foi que colou tanto jornal em locais inapropriados! Será investigado, eu prometo. Entretanto, não pude deixar de notar que a matéria exposta por aí é deveras elogiosa à Pedra que está destruindo Lemuri. Quem, em sã consciência, poderia apoiar tão veementemente essa Pedra? Agora, com as descobertas científicas de dra. Diana, mulher de conhecido espírito público,* isenção e distinção, fica mais evidente o caráter nefando dessa rocha maldita. Infelizmente, o Executivo é apenas um cumpridor de ordens do povo e, ante a campanha feroz da Folha do Povo, acusando, inclusive, a Prefeitura de ter esquecido e relegado a segundo plano a construção do museu da Pedra, teve de iniciar e finalizar a sua construção. Agora que o museu está pronto, quem pagará por ele? Aí, no próximo ano, chegada a eleição, o jornal vai fazer uma campanha contra o meu nome e em favor do nome daquele bêbado contumaz ou mesmo do próprio editor e dono do jornal.

As declarações de Gumercindo eram uma declaração de guerra.

A *Folha do Povo* não tardou em dar resposta. Pouco depois do meio-dia, quando o sol ainda apontava o meio do firmamento, uma edição especial do jornal saiu com os comentários sobre a entrevista do prefeito. Em um editorial azedo e exclamativo, assinado pelo próprio Juca Calisto, o periódico não poupava palavras.

Com a entrevista dada nesta manhã para o programa de rádio do pseudojornalista Beto Gastão, o atual prefeito Gumercindo Cavalcanti ultrapassou todos os limites. Mentiu a respeito da posição deste órgão sobre a pedra, mentiu sobre a posição dele próprio, enganou, ludibriou e cometeu o crime de perjúrio perante toda a população da cidade. O fato é que este jornal, sendo um autêntico órgão popular, representante legítimo dos interesses dos cidadãos e cidadãs lemurienses, não podia deixar de veicular as opiniões correntes na sociedade lemuriense. Defendemos a pedra com todas as nossas forças porque assim nos exigia o povo de Lemuri, mas, para quem nos conhece de perto, nunca foi segredo a nossa desconfiança em relação a essa aparição que atormenta a nossa pacata cidade. Já o prefeito, apressado e leviano, como sempre, construiu mais uma obra à toque de caixa, na calada furtiva da noite: o museu da pedra. Não há quem tenha lucrado mais com a chegada da pedra que o próprio prefeito. Há de se perguntar se não há nenhuma relação de seus ganhos com todas as mortes acontecidas, principalmente a de Pedro Meia Garrafa, notável opositor do mandatário do Executivo Municipal. O que Gumercindo não esperava é que nós estaríamos atentos aos seus desatinos orçamentários. As contas não fecham, está comprovada a malversação dos recursos públicos, e, por isso, chegamos à conclusão: é urgente o impeachment do prefeito, o povo lemuriense precisa tomar o seu destino em suas próprias mãos. Viva a imprensa livre!

Todas as palavras estavam inteiras.

Em menos de vinte e quatro horas, essa luta se desenvolvia em cada casa, em cada boteco, em cada praça, em cada aglomeração da cidade. Partidários do prefeito e de Juca Calisto digladiavam-se em cada esquina, e algumas vezes o bate-boca evoluía para as vias de fato.

Em meio a toda essa confusão, um acontecimento tomou conotações político-militares: a missa de sétimo dia da morte de Felipe. Os adoradores da Pedra espalhavam pela cidade que o culto era uma clara heresia, que afrontava o próprio Deus e Sua maravilha. Não podia ser diferente. Desde a divulgação dos estudos conclusivos de dra. Diana, a igreja perdia fiéis a olhos vistos. As mortes de Gecinha e de Felipe foram a pá de cal na popularidade da Pedra, que já tinha afundado na terra com mais da metade do seu tamanho até aquela data.

A mãe de Felipe nunca tinha simpatizado com a Pedra, mas aquela campanha de difamação da missa de sétimo dia foi a gota d'água. Injuriada com o fato de o pastor Umberto, por mais de uma vez, durante o culto, ter afirmado que Felipe não passava de um terrorista, teve que ser retirada da frente do templo diversas vezes por brigar com Umberto ou com seus seguidores.

A proximidade da data da missa aumentava o burburinho. O conflito definitivo e irremediável parecia não querer esperar o culto para acontecer.

Entretanto, algo serenou a polêmica: o medo.

Entre a noite da sexta, anterior à missa, e a manhã do sábado, véspera dela, os muros que cercavam as casas e comércios que circundavam a praça da Pedra amanheceram acinzentados e farelentos. Em seu interior, as pessoas estavam mortas ou muito doentes, como era o caso de Nemusine. O fato de a sua casa ficar na esquina da praça, quase fora dela, quase na estrada para o mundo, não a havia livrado do mal que acometeu os que dormiram numa perigosa proximidade da Pedra. Na igreja do templo da Pedra, além de cinco fiéis mortos, o pastor Umberto, que fizera morada no templo desde o atentado de Felipe, caíra gravemente doente.

A última visita recebida pelo pastor, vinda dos últimos fiéis da igreja do templo da Pedra, decretou o fim da religião. A crença morreu com seu criador. Em seus últimos suspiros, perguntado sobre o futuro de Lemuri e da humanidade, Umberto tinha sido peremptório.

— Não há futuro, a Pedra já decretou que é tempo de redenção, e não há redenção sem dor e sem morte. Isso procede do Senhor e é maravilhoso aos seus olhos — dissera.

A polêmica sobre a missa já não existia, mas a discussão sobre a Pedra tinha tomado um novo fôlego. Arnaldo, um pouco desaparecido desde a morte de Felipe, voltou a se pronunciar publicamente com uma entrevista para a *Folha do Povo*. Nela, acusava o prefeito e o pastor Umberto de mancomunice com os maçons filipinos, de corrupção, e responsabilizava-os pelas recentes mortes. Como alternativa à crise, o líder rebelde propunha a convocação de novas eleições que renovassem não apenas o Executivo, mas também a Câmara de Vereadores.

Há dias Ambrósio não saía de casa. Não adiantou a tentativa de fugir do escândalo das suas atitudes impensadas, pois as notícias acabaram chegando, com um pequeno atraso, no sítio do Lajedo. Mocinha ignorou os fatos, não deu nenhuma palavra sobre o acontecido, tampouco permitiu que Marta interviesse em sua presença. O que não o livrou da bronca da mãe, que aconteceu no curral, enquanto ele devolvia as poucas cabeças de gado depois de alimentá-las.

— Tu acha certo isso que tu fez comigo e cum tua vó? — Começou Marta.

— Desculpe, mãe, eu tô todo errado mesmo!

— Cabra safado, isso que tu é! Tu pensou em mim e na tua vó quando inventou de se enrabichar com aquela quenga? Tu sabe o que o povo tá falando, num sabe? Tu acha que eu mereço essa falação, inda mais tando de luto por tua irmã?

— Não, mãe, acho não...

— Deve achar — continuou Marta, irritada —, porque agora eu sou mãe de um corno! Tá bonito pra tu?

O esbregue seguiu por algumas dezenas de minutos e Ambrósio já não sabia o que tinha doído mais, se o desprezo de Carminda ou a repreensão de Marta. Ainda havia o silêncio de Mocinha, que evitava a presença de Ambrósio e só trocava palavras mornas com o menino.

Naquela tarde, decidira que, com muita ou pouca repercussão sobre os seus atos, ele precisava sair do sítio e ir à cidade, não apenas para ir à escola, mas também para retomar o emprego no restaurante de Paulo e comprar produtos que a família precisava e que só se encontravam no asfalto de Lemuri. Ao passar pelo grotão, foi interrompido por Chico.

— Ei, sarará, pronde vai?

— Vou pra Lemuri, por quê?

— Oxente, num tá sabendo da novidade não? — Perguntou Chico.

— Não, qué que houve? — Espantou-se Ambrósio.

— A Pedra agora deu pra matar gente, e num foi só tua irmã não! — Continuou. — Tá morrendo o pastor, já morrero um monte de povo que morava em redor da praça, e até aquela velha bruxa lá da saída da cidade, dizem que tá numa cama, morre num morre... a coisa tá feia, e, do jeito que vai, num vai sobrar nenhum de nós pra contar essa história.

— Oxente, é sério isso?

— E eu ia brincar com coisa séria dessa, menino besta? — Arretou-se Chico. — Pense numa pedra matadeira e num povo morredor.

Dava para perceber a seriedade da situação pela gravidade dos semblantes. Muita gente tinha largado os seus afazeres para se concentrar nas ruas da cidade, comentando as mortes, fazendo adivinhações. As únicas pessoas que não se viam ali eram os funcionários da Prefeitura e os funcionários da *Folha do Povo*, assim como seus respectivos mandatários.

Costurando por dentro da multidão, Ambrósio ia passando, tentando chegar à casa de Nemusine. De longe, na calçada do templo da Pedra, ele vislumbrou os ombros de Carminda, cujas sardas ele já tinha contado uma a uma, indo e voltando. Antes que ele conseguisse desviar os olhos para um lugar seguro, Carminda virou-se e deu com os seus nos dele e, após segundos de hesitação, os desviou também.

Chegando à frente do portão de Nemusine, ele percebeu que mudanças se tinham operado ali, como em toda parte. O muro estava cinza, da cor da calçada, e a parca terra do pequeno jardim secara acinzentadamente. O único sinal de vida naquele pequeno templo à natureza era a suculenta que antes fora o centro da estante da velha. Quem a colocara ali, se depois da noite anterior Nemusine caíra irremediavelmente doente? Será que ela adivinhara a catástrofe? Antecipara a própria morte e decidira colocar ali, no centro do seu jardim falecido, a rosa de pedra?

Ambrósio, portão adentro, começava a perceber a ausência de Nemusine, ali onde sempre era vista, na varanda. Nenhum livro deitava-se em um banco, sua cadeira não balançava pela lembrança do balançar do corpo dela, nenhum xale estava ali.

O cheiro da morte já senhoreava a sala, perseguindo os últimos elementos vitais que ali insistiam em permanecer. A flor, que Ambrósio tinha visto quando da sua primeira visita a Nemusine, agora, semimorta, mostrava-se, não rosa, como ele tinha pensado, mas um crisântemo branco. A murchidão apossara-se dela, mas ainda assim era bela. Um dos sofás estava disposto na diagonal, indicando o caminho da porta do quarto.

Uma vez no quarto, Ambrósio movimentava-se delicada e decididamente. Nemusine era apenas um fiapo de pele tão fina quanto seda, deitada com a barriga voltada para o teto, com as mãos cruzadas sobre o ventre, de olhos bem fechados. No canto esquerdo da cama, sobre a cômoda que lhe servia de criado-mudo, uma pequena árvore de natal brilhava suas luzes, emprestando uma iluminação errática, colorida e piegas ao cômodo. Àquela época, tão longe das festividades natalinas, o que aquilo simbolizaria numa casa tão cheia de símbolos? Ambrósio não conseguia responder, nem sequer pensar sobre isso naquela situação fúnebre.

Nemusine, aparentemente, não se dava conta da presença dele. Com uma respiração regularmente falhada, esforçava-se por se manter viva naquelas condições adversas. À outra cabeceira, via-se um pequeno volume, encadernado em material duro e verde, cuja lombada apresentava inscrição em tinta dourada. Lia-se o título da obra: *Vozes do silêncio*. Ele ainda hesitou, com a mão pendendo no ar empesteado, mas pegou o volume em sua mão e percebeu que pesava como chumbo, apesar das suas poucas páginas.

— Não é nada que mereça a sua atenção — disse a moribunda —, é apenas uma coletânea de poetas mortos.

— Que poetas?

— É importante? — Perguntou Nemusine enquanto tossia.

— Não sei, por que não seria? — Respondeu Ambrósio, perguntando.

— A pessoa não importa, o que importa é a palavra.

— Mas aí como a gente saberia quem foi que escreveu o quê? — Inquiriu.

— Isso não é importante.

— Não?

— Não. A pessoa perece, ideias perecem. Só a palavra é que permanece.

Nemusine tossiu com muita força e muito pesadamente. Ambrósio pensou em ampará-la com o braço, mas recebeu uma negativa dela em ser tocada. Enquanto ela se ajeitava entre travesseiros e lençóis, ele olhava com pena para seus cabelos brancos e desgrenhados.

— Não sinta muito por mim — disse —, eu iria morrer de qualquer forma.

— Todos vamos morrer, mas não precisa ser assim, né? — Contrapôs.

— E qual a diferença? — Perguntou a anciã. — Filho, não escapará ninguém. A Pedra é apenas um espelho, é tudo muito cruel.
— Então não adianta nada? Não vale a pena viver? É infugível isso de ser cruel? — Exasperou-se Ambrósio.
— Ah, não, não é porque somos Pedra que seremos.
— Pelo visto, não seremos mais é nada, porque essa Pedra vai é acabar com Lemuri todinha.
— É algo que só pode saber quem ficar vivo pra contar a história.

Mais um acesso de tosse acometeu Nemusine, que ficava visivelmente mais fraca a cada frase, e falava em descompasso, como um disco dando saltos na vitrola. Esforçava-se, febril e visceral, como a última injeção de ânimo que anuncia o fim da batalha.

— Eu botei tudo a perder — disse Ambrósio —, deu tudo errado com Carminda.
— E não podia dar certo jamais — respondeu Nemusine.
— Quê? Mas você disse que...
— Eu sei o que eu disse — interrompeu a velha —, sei o que disse e diria de novo, mesmo que eu saiba, e já sabia, que você mais Carminda não são números reais.
— A gente se ama — interrompeu Ambrósio.
— Besteira — tossiu Nemusine —, o que é o amor?
— Ora, é o amor, todo mundo sabe o que é o amor.
— Todo mundo é muita gente, tenho pra mim que ninguém saiba.
— Eu sei: eu quero ficar com ela — insistiu Ambrósio. — Não é o suficiente?

— Talvez sim, talvez não.
— Foi suficiente para me fazer aceitar, foi suficiente pra querer ficar com ela apesar do que ela é.
— O nome disso é desejo.
— É apenas uma mudança de nome, o que tu chama de desejo, eu chamo de amor! — Discordou Ambrósio.
— Ela não te deseja, filho, o que ela quer é depender apenas dela, e isso tu não pode dar.
— Mas eu não quero que ela dependa de mim, já disse que ela pode continuar com o trabalho dela enquanto a gente não conseguir outra coisa.
— Estar junto é já depender, no mínimo para tomar as decisões da vida, ela quer outra coisa.
— Mas têm outros trabalho pra mulher que quer ser independente! — Retrucou.
— Independente ela já é! Tu quer que ela seja independente do teu jeito! Que ela trabalhe no que tu achar bom...
— Então tu quer dizer que ela só pode ser livre se for quenga? Isso lá é trabalho? — Perguntou Ambrósio.
— Não. Infelizmente, ela num pode ser livre é de jeito nenhum. Nem ela, nem ninguém. Somos tudo escravos da Pedra. A verdade é que sofremos, sobretudo, de um excesso de esperança.

Nemusine tossiu por alguns minutos, e não adiantou a água que Ambrósio lhe buscou na cozinha. Sem conseguir falar, quase sem poder respirar, suas últimas palavras foram desvozeadas. Com os olhos, o desesperançou: *siga o seu caminho, porque a vida, quando arrodeia muito, é que vai lascar a gente.*

Dito isso, se foi.

Ele não teve tempo de chorá-la. Antes que se enlutasse mais uma vez, as centenas de vozes vindas da praça prenderam a sua atenção. Ao perceber que a zoada não diminuía, Ambrósio foi ao encontro dela.

Ao sair da casa de Nemusine, viu que as pessoas que se reuniam em grupos nos arredores da praça agora se concentravam no centro dela, em volta da Pedra. À distância, Ambrósio via que o prefeito e seus assessores estavam na praça, assim como os funcionários da *Folha do Povo*, capitaneados por Juca Calisto. As meninas de Filó, um pouco mais afastadas da multidão, e mais perto de Ambrósio, cochichavam animadamente.

O que viu, ao abrir caminho até o centro da praça, quase o derrubou.

Pedro Meia Garrafa, de cabelo cortado e roupa alinhada, estava parado perto da Pedra, sem os trejeitos que lhe caracterizavam antes do seu desavivamento. Os tremeliques tinham cessado completamente, e mesmo as piscadelas involuntárias do olho esquerdo não o importunavam mais. Pedro Naves, que adquiriu sobrenome tão logo perdeu o apelido, era observado por todos com alguma afetação e grande curiosidade.

Percebendo que ninguém o levava a sério na cidade, decidira parar de beber, buscar ajuda para o alcoolismo. Tinha saído na calada da noite, para não gerar expectativa de retorno em ninguém, visto que, se ele não conseguisse se curar, não retornaria.

— Mas todo mundo viu o seu rosto na Pedra, homem! — Argumentou Juca Calisto.

— Eu bati um papo com a Pedra antes de sair...
— Bateu papo com a Pedra? — Espantou-se Gumercindo. — Como assim bateu um papo com a Pedra? Pedra não fala, bêbado idiota!
— Eu sei, mas eu tava bêbo, e bêbo fala com quem não tem tempo de escapar, que é o caso da Pedra — justificou.
— E o que a Pedra disse? — Perguntou Mônica.
— E eu lembro? Tava bêbo.
A explicação não resolvia a face estampada na Pedra. Havia apenas três faces na Pedra: Pedro, Gecinha e Felipe. Os outros dois foram mortos pela Pedra, e ninguém entendia o porquê de Pedro não ter sido.
— O que importa é que, desdaquele dia, tô com uma verdade atravessada na garganta. Precisei voltar pra dizer!
— Dizer o quê? — Perguntou dra. Diana.
— Cês num tão vendo não? — Disse Pedro, apontando para a Pedra.

A Pedra estava com apenas um pequeno pedaço para o lado de fora da terra, uma protuberância negra não maior que uma bola de futebol. Antes lisa e arredondada, a Pedra apresentava algumas reentrâncias quase imperceptíveis, formando o que, com alguma dificuldade, as pessoas viam, então, como sendo uma cabeça com olhos, nariz e boca. Não podia ser real, não parecia ser real, aquilo tinha todo o aspecto de uma história muito mal contada e de mau gosto.

— Agora que Pedro falou, eu tô notando... — Disse, relutantemente, Arnaldo, que aparecera ninguém sabia de onde.

— A Pedra é o nego Bastião! — Afirmou Ambrósio, quase gritando. — Comé que a gente num tinha percebido antes?

Depois de nomeado, ficou óbvio. Parecia uma idiotice não ter percebido isso anteriormente.

Em toda a praça o silêncio governava.

À constatação, agora óbvia, de Ambrósio seguiu-se a estupefação característica da antessala da tragédia. Todas as perguntas fundamentais agora borbulhavam ali, no meio da multidão, sem que, no entanto, fosse preciso falar, nem responder. Como Sebastião, mendigo que morava naquela praça há muitos anos, bebendo e comendo do que davam, pedindo e esmolando de um tudo, tinha se transformado em Pedra? Aliás, como era possível que ele tivesse se transfigurado em Pedra sem que, rapidamente, a cidade se apercebesse de sua ausência? Mais: em quais circunstâncias carne se transformava em Pedra?

— **TODO MUNDO VIVIA DO QUE PLANTAVA** e apesar da pobreza que existia, e não era pouca, as pessoas se ajudavam nas dificuldade — era a primeira vez que Mocinha falava a Ambrósio do passado desde o incidente na porta de Filó —, como se pertencessem todos a uma mesma família. Quando Lemuri se apartou de Santa Cruz do Riachão, a situação até que melhorou um pouco. A gente tinha um prefeito que era um coronel, o governo mandou dinheiro para construir um mercado público, o povo dos lugarejo em redor daqui passou a vir à feira. Mesmo os trabalhadores de eito viviam mais ou menos. Mas em geral, todo mundo plantava o de comer e vendia o que sobrava, quando em quando acontecia de alguém ser atingido por uma praga e perdia a lavoura da época, mas aí os vizinho se ajuntava e dividia o pouco que tinha. Quando foi que isso parou de acontecer? Aí eu não sei dizer não. Só sei que cada um passou a ver, no defeito do outro, desculpa pra sua própria mesquinhez. *Aquele cabra é um bêbo safado!*, a pessoa diz, *se eu der dinheiro a ele, vô tá incentivando ele a beber mais; Num adianta dar nada pr'esse povo não*, dizem, *eles passa aí o dia todo pedindo, no final ganha mais que eu e tu; Apois tu num tá vendo que esse cabra num tem futuro?*, o povo se justifica, *pra quê que eu vou ajudar alguém que num quer ser ajudado, que só faz escolha errada?* E daí? O qué que a pessoa tem a ver com o que o outro faz da vida? Se o cabra vive na rua, esmolando, se humilhando atrás de um trocado qualquer, isso já é motivo suficiente pra mostrar que ele precisa de ajuda. Se bebe feito um condenado, mais um motivo pra ser ajudado, né não? O que cada um quer é se livrar da responsabilidade de ser humano. Se alguém sofre, vive e come do lixo, padece fome, vício, dor, é que alguém tá luxando com a parte do mundo que cabia a ele. Tu já viu passarinho morrer de fome? Cada um come o que precisa, e pronto. Tu já viu passarinho guardar comida mais do que pode comer? Issé coisa de gente. É coisa de gente que num sabe que a parte que guarda faz falta pralguém. E se sabe, é gente ruim. E foi assim que Bastião lascouse. Bastião era trabalhador de eito, nego forte, jeitoso com as planta, eu fui amiga da mãe dele. Quando ela morreu, Bastião perdeu-se. Começou a beber pralém da conta, a dormir pelos bar, a se atrasar pros serviços que arrumava. Aí já viu, né? Ninguém num queria dar mais serviço a Bastião. Agora, pensa que esses que num contratava mais Bastião deixava de beber? Deixava nada, era os primeiro a ficare bêbo nas festa da família, nas quermesse da igreja, nos salões de dança, no clube. Aí a mulher de Bastião separou-se dele e ele, lascado de dinheiro e de amor, foi parar na rua, foi morar na praça, foi esmolar pelos canto, na escadaria da igreja. Aí é que ninguém dava nada pra ele mesmo. Diziam: *tá vendo nego Bastião? Trabalhava, era pobre, tá certo, mas nunca que faltou nada pra ele, aí danou-se a beber, a tá em bar até tarde, e perdeu mulher, perdeu os emprego, e eu vou tirar do pouco que tenho pra dar dinheiro pra ele gastar em cachaça?* Tu tá percebendo? O qué que uma coisa tem a ver com a outra? Se tu tem pra dar, num vai te fazer falta. Se dar esmola num resolve nada, num dar também num resolve e ainda pode ser a diferença entre viver e morrer pruma pessoa, que é gente feito tu. Se alguém padece, o mundo todo padece; se um morre de fome, foi tu que matou e é tu que morre também.

— Mas vó, o que há de ser feito agora? — perguntou Ambrósio.

— Nada. O qué que Bastião podia fazer? Nada. A única alternativa dele era virar Pedra. Mas se um é Pedra, quem é que deixa de ser?

— Então vamo embora, vó. Vamo embora eu, tu, mãe...

— E adianta? Bastião entrou pra dentro da terra.

— E agora tá tudo virando em pedra, e o povo tá morrendo — disse ele.

— A Pedra tá dentro da gente, Zito, entranhada na nossa alma, porque a gente num aprendeu nada com ela! Nosso caminho é de Pedra, nossa sina é de Pedra, a gente vai morrer onde a gente tiver.

— Eu não queria ir depois de tu e de mãe. Cês tão muito doente e eu ainda tô bom, parece que eu terei que viver um tempo ainda sem vocês — lamentava-se Ambrósio.

— Seja forte, Zito, os mais novo vive mais mesmo, é da natureza.

— Mas eu num queria morrer assim, sem amor no mundo.

— E Carminda? — Perguntou Mocinha.

Pela primeira vez a avó nomeava Carminda.

— Mas vó, esse amor é impossível. Tu mesmo ficou com raiva de mim porque eu namorei com ela — retrucou.

— Num fiquei com raiva nenhuma — disse a avó —, só num falei mais contigo porque tua mãe me proibiu de te dizer.

— De me dizer o quê? — Perguntou Ambrósio.

— Que tu tem que ir simbora daqui com essa moleca, menino, vai timbora viver tua vida enquanto tu ainda tá vivo.

A avó tossia muito, como se tivesse poeira da garganta para dentro.

— Mas se todo mundo vai morrer, eu e ela vamo morrer também, do que adianta viver mais esse bocado?

— Ô, menino besta — irritou-se Mocinha —, tu não aprendeu nada com as histórias que eu te conto? Com a minha história com teu avô, com a história da tua mãe mais teu pai? Nada adianta de nada! A gente se lasca de todo jeito, mas se é pra morrer, melhor morrer vivendo, né não? Agora vá simbora, me deixe, já falei demais hoje, quero falar mais nada não.

É preciso correr. Se for para morrer, que ao menos se reconcilie antes com Carminda. E se sua avó estiver errada? E se for possível fugir dali? Levará Carminda consigo, custe o que custar. Se ao menos ele soubesse dirigir. Dezenas de carros estão, agora, abandonados pelas ruas de Lemuri. Famílias inteiras já desapareceram, deixando para trás todos os pertences e quinquilhares juntados durante a vida.

A cidade, deserta e cinza como estava, mais parecia um enorme cemitério.

A casa de Filó, como ficava quase na saída da cidade, na subida para o alto do cruzeiro, ainda não tinha se acinzentado, mas, assim como no Lajedo, as pessoas tossiam e padeciam. Ao perceber sua chegada, as meninas sequer tiveram forças para rechaçá-lo. Apenas Carminda ainda se movia, de um lado para outro, tentando ajudar as meninas que não conseguiam respirar e engasgavam-se com a própria tosse empoeirada. Ele notou várias malas prontas e, pela janela, percebeu uma rural preparada para viagem. Por que ele e Carminda pareciam os únicos ainda saudáveis? Perguntava-se.

— Carminda — começou Ambrósio —, eu sei que errei, me perdoa!

— Zito, isso num é hora, num tá vendo que tá todo mundo morrendo? Até quem tá tentando fugir tá ficando pelo caminho — lamentou-se Carminda —, num é hora de conversa de namoro.

Ambrósio olhava ao redor e via a pobre casa que servia de cabaré para a cidade. Ali, homens das mais diversas posições sociais, econômicas e conjugais, das mais distintas religiões, dos diferentes credos políticos, sentavam-se para comer, beber e negociar. Os corpos, que, então, estavam doentes e frios, passeavam por entre mesas e corredores, oferecendo desejo. Mercado de ratos e de queijos, de doenças e de choro escondido em canto de fronha, de ascensão e queda. Filó arfava em um canto de parede, agarrada a uma imagem de Nossa Senhora das Candeias.

— A vida aqui em Filó nunca foi grandes coisas — disse Carminda, emocionada —, mas era vida, né? E viver é melhor que morrer.

— Sinto muito, eu não sabia — desculpou-se Ambrósio.

— De quê? Da situação em que vivemos? É claro que sabia — respondeu Carminda. — Basta olhar ao redor, miséria não é coisa que se esconda fácil das vistas! Tu num queria saber, é diferente.

Parado ali, naquele salão que havia sido de festa, ele tentava raciocinar com rapidez. Seus pulmões começavam a pesar, como fossem talhados em pedra. Ele sabia que, mesmo em condições normais, Carminda tinha muito mais jeito com as palavras, conseguia explicar muito melhor explicado, conseguia amar sem desespero. A desdita é professora.

— Vamo tentar fugir! — Ele propôs.

— Fugir? Tu tá surdo? Eu acabei de dizer que tá morrendo até quem tá tentando fugir.

— Eu ouvi, mas eu num quero morrer sem tentar! Tu num vai fugir mais Filó e as menina? Então, se é pra tentar, tenta comigo.

Carminda olhou Ambrósio, vestida em piedades, chorava a pena daquele pobre que ia morrer sem nunca ter vivido direito.

— Não, Zito — respondeu —, se é pra tentar, é com elas que eu vou tentar.

— Por quê? — Questionou Ambrósio.

— Porque essas meninas precisam de mim, Filó pode num aguentar a viage, tá mal demais, e elas num sabem ler, num sabem administrar um negócio. Vão acabar por aí, explorada por algum cabra safado como Robério.

— E eu? Eu também preciso de tu! — Suplicou.

— Precisa nada... amor a gente encontra em qualquer beira de riacho — disse Carminda. — Difícil, no mundo, é lidar com as consequências, e é isso que eu vou fazer.

Por alguns minutos se olharam.

— Então não tem volta?

— Tem não, Zito, se é pra morrer de fome ou de pedra, melhor é que seja com quem, no bom e no ruim, carrega a mesma cruz que a gente!

Despediram-se com um beijo de imensas longitudes. Naquele momento, Ambrósio sentiu o peso de ser gente. Ao redor, não mais censura, as mulheres da casa apenas assistiam com certo distanciamento àquela despedida; mesmo Filó, contrária àquela união, estendia seus olhos lânguidos para aquele beijo. Apesar de estarem arribando como as andorinhas, não faziam isso juntos, cada um tomava um rumo diferente, e todo mundo ali sabia disso.

O que Ambrósio não suportava era ver quem lhe fizera conhecer mulher, no sentido bíblico, se afastando para destino desconhecido. Ainda mais que não ia sozinha. Ainda por cima que seguia na tentativa de salvar outras, mas o deixava só. O que poderia ter feito diferente? Talvez se tivesse insistido mais. Ambrósio pensou que, fosse ele a resgatá-la do padrasto e não Filó, tudo seria muito diferente naquele dia.

No caminho de volta para casa Ambrósio decidiu-se: pegaria Marta e Mocinha e tentaria sair de Lemuri. Ao passar pela praça, onde já não havia Pedra alguma, viu dezenas de corpos dispostos desorganizadamente. Lado a lado, espontaneamente, jaziam o prefeito e a fotógrafa, o pastor e o rebelde, a velha e o jovem. O cinza já passava do grotão, já não se via nenhuma vida caminhando em parte alguma.

Ao chegar ao Lajedo, percebeu que o sítio já não era o mesmo. Reses, pássaros e rastejantes tinham desertado. Dentro de casa jaziam Marta e Mocinha, cada uma no seu quarto. O choro de suas perdas veio em pó para os seus olhos. Tossiu compulsivamente. Não havia muito tempo, precisava pegar o que fosse necessário e partir o mais rápido possível, que luto é de quem não tem urgência. Juntou na mochila escolar a pouca roupa que tinha, um caderno, uma caneca, a carteira. Para que lado seguir?

Pensou em descer pelo riacho e de lá seguir para a estrada. Apesar de ser um atalho pouco usual, por ter que passar pelo mato seco, ele intentava ganhar mais alguns minutos de vida antes de cruzar os limites do município.

Não foi suficiente.

Ao chegar ao areal, no mesmo local onde tantas vezes deitara-se mais Carminda, o cansaço e a tontura tomaram conta de seu corpo.

Ajoelhou-se à beira do riacho. O sol já baixava por trás da serra, avermelhando o mundo. A respiração ofegava e os sons da água que corria por entre as pedras lhe chegavam como um eco distante, como se o seu corpo fosse se apartando de seus próprios sentidos. Ao longe escutou um pano ou um lenço sendo rasgado. Seria uma camisa? Um vestido? Sinal de vida ali tão próximo, alguém além dele teria sobrevivido à catástrofe? Por um momento acreditou nisso e sorriu.

Seus olhos piscavam lentamente, a cada piscada passava mais tempo de olhos fechados. Depois de um longo fechar e abrir de olhos, ele a viu.

Asas abertas, enorme em toda a sua envergadura branca, gritava com os olhos fixos em Ambrósio. A feroz rasga-mortalha batia as asas agitada, como se quisesse chamar a atenção dele para algo, mas ele a via em câmera lenta, como uma visão etérea de um plano distante. Sob a luz crepuscular, o pássaro parecia ainda maior e mais altivo.

Ambrósio se levantou e a coruja alçou voo.

Errava, tropeçando nas pedras, chutando água para todos os lados, buscando o caminho do chão que o pássaro tinha rabiscado no ar.

A queda foi dura, mas o chão estava frio; não havia som, e, ali, o sol não batia. Uma caverna? Uma gruta? Por que o pássaro o tinha levado ali? Qual o propósito daquilo tudo?

Quando a vida vira pedra e se enterram as certezas, perguntar é já começar a responder.

EPÍLOGO

Ao acordar, dentro da casa abandonada, morada da coruja branca, Ambrósio não sabia quanto tempo havia passado desde que ali caíra. Por um tempo, longo ou breve, pouco importa, pensou no que deveria fazer tão logo ultrapassasse a porta da casa abandonada e entrasse no mundo. Tendo visto gente transmutada em pedra, não era capaz de espantar essa dura memória. Voltar à cidade petrificada? Seguir adiante? Passada a hora de choque, em que não se consegue agir diante do trovejar interior, decidiu voltar ao riacho e de lá pegar a estrada.